L'HOMME
ET
LA VILLE

DU MÊME AUTEUR

PHYSIOLOGIE ET BIOLOGIE DU SYSTÈME NERVEUX VÉGÉTATIF AU SERVICE DE LA CHIRURGIE. G. Doin & Cie, 1950.

L'ANESTHÉSIE FACILITÉE PAR LES SYNERGIES MÉDICAMENTEUSES. Masson & Cie, 1951.

RÉACTION ORGANIQUE A L'AGRESSION ET CHOC. Masson & Cie, 1952, 2e éd. 1954.

RÉSISTANCE ET SOUMISSION EN PHYSIOLOGIE. L'HIBERNATION ARTIFICIELLE. Collection « Évolution des Sciences », Masson & Cie, 1954.

PRATIQUE DE L'HIBERNOTHÉRAPIE EN CHIRURGIE ET EN MÉDECINE. En collaboration avec P. Huguenard. Masson & Cie, 1954.

EXCITABILITÉ NEURO-MUSCULAIRE ET ÉQUILIBRE IONIQUE. En collaboration avec G. Laborit. Masson, 1955.

LE DELIRIUM TREMENS. En collaboration avec R. Coirault. Masson & Cie, 1956.

BASES PHYSIO-BIOLOGIQUES ET PRINCIPES GÉNÉRAUX DE RÉANIMATION. Masson & Cie, 1968.

LES DESTINS DE LA VIE ET DE L'HOMME. Controverses par lettres sur des thèmes biologiques. En collaboration avec P. Morand. Masson & Cie, 1959.

PHYSIOLOGIE HUMAINE, CELLULAIRE ET ORGANIQUE. Masson & Cie, 1961.

DU SOLEIL A L'HOMME. Masson & Cie, 1963.

LES RÉGULATIONS MÉTABOLIQUES. Aspects théorique, expérimental, pharmacologique et thérapeutique. Masson & Cie, 1965.

BIOLOGIE ET STRUCTURE. Collection « Idées », Gallimard éd., 1968.

L'HOMME IMAGINANT. Essai de biologie politique. Union générale d'éditions, collection 10-18, 1970.

NEUROPHYSIOLOGIE. Aspects métaboliques et pharmacologiques. Masson, 1969.

Éditeur de la revue *Agressologie*, chez S.P.E.I. et Masson & Cie. Revue internationale de physio-biologie et de pharmacologie appliquées aux effets des agressions (depuis 1959).

L'AGRESSIVITÉ DÉTOURNÉE. Introduction à une biologie du comportement social. Union générale d'éditions, collection 10-18, 1970.

LA NOUVELLE GRILLE. Robert Laffont, 1974.

L'ÉLOGE DE LA FUITE. Robert Laffont, 1976.

HENRI LABORIT

L'HOMME
ET
LA VILLE

FLAMMARION

Cet ouvrage a été publié dans la « Nouvelle Bibliothèque Scientifique », dirigée par Fernand Braudel.

I.S.B.N. : 2-08-081017-0

© FLAMMARION, 1971.

« Tous les espoirs sont permis à l'Homme, même celui de disparaître. »

Jean ROSTAND,
Nouvelles pensées d'un biologiste,
Stock, 1947.

INTRODUCTION

Le titre de cet ouvrage laisse entendre qu'il traite d'urbanisme et de biologie suivant une certaine logique.

Il y a trois ans, un groupe d'étudiants de Vincennes (c'était en juin 1968) tentait d'organiser un département d'urbanisme dans cette faculté dite « expérimentale ». Il y parvint malgré des difficultés considérables, grâce à un entêtement exceptionnel. C'est à cette époque qu'ils me proposèrent de créer une unité de valeur « Biologie et urbanisme », et qu'avec mon plus ancien collaborateur, B. Weber, j'acceptais de tenter l'expérience. Elle dure depuis trois ans. Elle a manqué se terminer il y a quelques mois lorsque l'on exigea de nous que nous répétions un même « enseignement » tous les six mois. N'ayant jamais désiré être enseignant, ayant trouvé à Vincennes la possibilité de poursuivre, dans une approche communautaire, la recherche commencée en Laboratoire et sur l'Homme malade de la compréhension des phénomènes vivants à un niveau d'organisation, le plan sociologique, auquel je pouvais apporter la connaissance générale actuelle des plans d'organisation sous-jacents, de la molécule aux comportements, je refusais de revenir aux méthodes classiques du cours magistral et proposais de me retirer. L'unité de valeur fut alors transformée en unité de recherche préparant un troisième cycle et la rédaction de mémoires. Elle a perdu en animation et en public (80 puis 120 inscrits les deux premières années), elle y a gagné peut-être en profondeur dans l'approche des questions posées. Cet ouvrage est le résultat de cette expérience. Chaque

semaine, quatre à cinq étudiants présentent un travail
de groupe sur un sujet qui leur a été proposé et qui
s'encadre dans le schéma général d'une approche biologique de l'urbanisme qui constitue un des premiers
chapitres de ce livre. Leur documentation est avant tout
urbanistique et sociologique. Nous y apportons de notre
côté l'aspect et les bases biologiques. Il résulte de cette
méthode interdisciplinaire une vue de l'urbanisme qui
n'est certainement pas celle à laquelle on est accoutumé.
La dynamique cybernétique, dont l'application est si
riche de conséquences dans l'étude des phénomènes
vivants, nous a encore servi d'outil efficace dans l'étude
du phénomène urbain.

Ce livre ne se présente pas comme la mise en forme
d'un enseignement, mais comme le résultat d'une
recherche, d'une recherche de groupe, d'un essai de
compréhension d'un « système complexe ». Il ne prétend
pas détenir la vérité, mais simplement fournir des éléments de réflexion et constituer une base temporaire
permettant de futurs développements.

Il existe une différence fondamentale entre l'approche
de l'urbanisme telle qu'elle se découvrira à la lecture
de cet ouvrage et notre activité de recherche au Laboratoire. Dans ce dernier cas, la recherche est évidemment
basée sur une expérimentation à des niveaux différents
d'organisation de la matière vivante. En présence d'un
processus vivant dont le mécanisme est encore incompris,
il s'agit d'imaginer ce mécanisme à partir de faits connus,
de l'isoler des ensembles plus complexes au milieu desquels il se situe, et de ne faire varier qu'un seul ou qu'un
minimum des facteurs qui le commandent. Puis ce
mécanisme expérimentalement isolé, donc déformé, de
tenter de le replacer dans son environnement immédiat,
puis médiat, et de rechercher si la structure dynamique
qu'on a cru y découvrir demeure encore valable quand
elle se trouve combinée aux structures plus complexes
qui l'englobent.

L'urbanisme contemporain peut aussi se concevoir
sous une forme expérimentale : faisons une ville et nous
verrons bien ce qui s'y passe. Mais est-ce cela de l'expérimentation ? N'est-ce pas plutôt un jeu de pile ou face ?
Une œuvre humaine comme la cité peut-elle s'expéri-
menter dans l'ignorance des mécanismes qui dirigent
le comportement de son ouvrier, l'Homme, ou plus
exactement du groupe humain qui la conçoit et la

réalise ? En d'autres termes, celui qui, au Laboratoire, essaie de comprendre le fonctionnement des systèmes nerveux humains, fonctionnement qui débouche sur le comportement des individus qu'ils animent, ne fait-il pas aussi de l'urbanisme, mais à un niveau différent de l'organisation de la matière vivante qui façonne elle-même l'espace urbain ?

Chaque niveau d'organisation fait surgir des propriétés qui lui sont propres. Mais l'ignorance du dynamisme des niveaux sous-jacents risque d'entraîner l'observateur vers une interprétation erronée de ce qu'il voit et de lui faire prendre des décisions sans efficacité. Il en est de même de l'ignorance des niveaux sous-jacents.

Nous n'avons pas désiré autre chose en rédigeant ces notes que de fournir une méthodologie d'appréhension nouvelle du problème urbain, sans espérer pour autant lui fournir une solution qui s'inscrit sans doute, de toute façon, dans le déterminisme rigide de l'évolution des espèces.

I

A, B, C DE CYBERNÉTIQUE

Utilisant le système généralisé par P. de Latil[1], nous représenterons un « effecteur » par un cercle. Un effecteur est un mécanisme produisant un certain « effet ». Nous représenterons cet effet, ou celui choisi parmi les effets de cet effecteur, par une flèche partant de ce cercle. Les « facteurs », c'est-à-dire les conditions nécessaires au fonctionnement de l'effecteur, par des flèches y aboutissant (fig. 1).

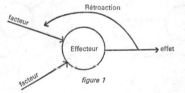

figure 1

Si un tel système comprend en plus un dispositif sensible aux variations de l'effet, capable de réagir selon ces variations sur la valeur d'un ou de plusieurs facteurs, ceux-ci deviennent fonction de l'effet, lequel reste lui-même fonction du ou des facteurs qui conditionnent le fonctionnement de l'effecteur. Il s'agit donc d'une autorégulation, d'une autocorrection, car les

1. P. DE LATIL (1953), *La pensée artificielle*, Gallimard.

variations de l'effet déterminées par les variations des facteurs vont, en retour, influencer ces derniers. Représentons sur le schéma 1 la présence de la rétroaction (feed-back) réagissant sur un des facteurs. Ce mécanisme permet à l'effet de se soustraire partiellement aux variations des causes qui le déterminent, puisqu'il modifie les variations de ses facteurs.

Le but d'un effecteur est une certaine valeur de l'effet. Si ce but est une valeur à atteindre et à maintenir, on dit que l'effecteur est en « *constance* ». C'est le cas fréquent mais non exclusif des effecteurs physiologiques. Si le but de l'effecteur est une valeur maximum de l'effet, l'effecteur travaille en « *tendance* » (fig. 2 A et B).

Un effet peut être *positif* ou *négatif*, comme un facteur suivant que ses variations influencent les variations de l'effet dans le même sens ou dans le sens contraire.

Une rétroaction peut être également positive ou négative. Un effecteur en constance est réglé s'il est soumis à une rétroaction de signe inverse de celui du facteur, déréglé dans le cas contraire (fig. 2 B). Inversement, *l'effecteur en tendance* est sous la dépendance d'une rétroaction de même signe que celui du facteur sur lequel elle agit, donc positive (fig. 2 A).

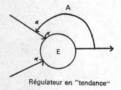
Régulateur en "tendance"

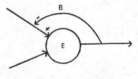
Régulateur en "constance"

figure 2

Dans les schémas précédents, la rétroaction qui part de l'effet n'ira influencer le facteur qu'avec un certain retard caractéristique du système. C'est l'*hystérésis*. De même la correction apportée au facteur ne fera sentir son action sur l'effet à travers l'effecteur qu'avec un certain retard : c'est *le retard d'efficacité*. Ces deux notions permettent de comprendre pourquoi un effecteur à constance, par exemple, maintient son équilibre autour d'une valeur idéale, jamais atteinte de façon stable, et pourquoi l'effet passe par des valeurs oscillantes autour d'une moyenne.

Les mécanismes que nous venons de schématiser sont des « *régulateurs* ». Leur effet possède une valeur relativement fixe grâce au feed-back, à la boucle rétroactive. Dans le *servo-mécanisme*, l'effet a une valeur qui dépend d'une valeur dite de commande extérieure au système, et intervenant sur la boucle rétroactive. Dans le régulateur, l'effet est garanti par le feed-back contre les variations de tous ses facteurs, mais il demeure sensible à ce qui peut affecter le feed-back lui-même.

Ainsi, si l'on fixe la commande d'un servo-mécanisme, on obtient un régulateur. Si nous la libérons, c'est alors un servo-mécanisme. Cette distinction a été bien mise en évidence par P. de Latil (fig. 3). Un thermostat

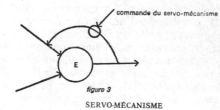

figure 3

SERVO-MÉCANISME

réglant la température d'un bain-marie à 37 °C est un régulateur. Mais si nous désirons changer cette régulation à 37 °C pour une régulation à 25 °C, par exemple, nous interviendrons par une action venant du dehors du système régulé pour fixer ce nouveau but. La même comparaison peut être faite pour un gouvernail automatique et la décision de changer de cap. Cette notion nous paraît capitale en physiologie pour plusieurs raisons :

a) *La première* est qu'elle met en évidence *l'existence de niveaux d'organisation*, caractéristique fondamentale des organismes vivants et qu'il faut constamment avoir présente à l'esprit, sous peine de faire de grossières erreurs. Au niveau moléculaire, par exemple, l'ensemble des éléments qui concourent à l'activité d'une réaction enzymatique peut être considéré comme un « régulateur ». Mais cette régulation est influencée par une commande extérieure au système régulé, venue du niveau d'organisation supérieur. Nous en connaissons de nombreux témoins. De même, à un niveau plus élevé d'organisation, le fonctionnement des organelles intracellulaires représente un régulateur. Il en est ainsi de la mitochondrie, par exemple. Mais cette régulation verra sa commande venir de l'extérieur du système régulé, sous la forme des variations cellulaires de la consommation d'ATP [1], commandée elle-même par les réponses de l'organisme aux variations de l'environnement. Nous pouvons continuer ainsi de niveaux en niveaux d'organisation, jusqu'à l'individu dans son environnement.

b) *La seconde*, c'est qu'elle nous fait pénétrer dans la notion d'ensembles, et des relations existant entre les éléments qui les constituent. Elle nous fait donc pénétrer dans la notion de « *structure* » si nous définissons celle-ci comme l'*ensemble des relations existant entre les éléments d'un ensemble*. Dans un organisme, la structure est donc hiérarchisée par niveaux d'organisation dont chacun constitue la commande d'un servo-mécanisme assurant la cohésion fonctionnelle de l'ensemble.

La cybernétique nous paraît alors constituer la science des relations dynamiques, donc *évoluant dans le temps*, relations existant entre les éléments de l'ensemble du monde inanimé mais aussi animé. On pourrait ainsi la définir comme « l'étude de la dynamique des structures ». En ce sens, on s'aperçoit que l'Homme n'a fait que reproduire, inconsciemment jusqu'à la cybernétique, les mécanismes fondamentaux de la matière vivante. La différence essentielle entre les machines et les organismes vivants paraît résider dans le fait que l'Homme ne commence à établir ses régulations dans les machines qu'à partir d'un certain niveau d'organisation, alors que la vie le fait au niveau des molécules et poursuit sans solution de continuité, par niveaux successifs d'organisation et par servo-mécanismes, jusqu'aux sociétés humaines. La vie paraît être à la fois système et information, alors que la machine est un système qui se nourrit d'information. La vie a sa finalité en elle-même qui est de maintenir sa structure, alors que la machine possède une finalité définie par l'Homme : elle est programmée par lui.

1. L'une des principales fonctions de l'usine chimique que constitue la cellule vivante réside dans la synthèse d'acide adénosine triphosphorique (ATP) à partir des substrats alimentaires. L'ATP représente une mise en réserve d'énergie chimique rapidement utilisable pour toutes les activités cellulaires.

Notion d'information et de message.

La notion d'information est fondamentale en cybernétique. Wiener la définit comme « une suite continue ou discontinue d'événements mesurables, distribués dans le temps ». L'écriture est un mode d'information. Le message est un signal, qui peut être élémentaire, se déroulant dans le temps, ou une succession de signaux porteurs d'une information. Les mots d' « hormone » en biologie, de « messagère chimique » invoquent déjà la notion de message.

Un message est d'autant plus susceptible de fournir une information qu'il est moins soumis au hasard. Pour schématiser cette idée, Louis de Broglie prend l'exemple d'un télégramme transmis en morse. Les signaux formant ce télégramme correspondant à des mots et à des phrases (sous-ensembles et ensembles) le rendent improbable. Un télégraphiste frappant sans discernement des traits et des points sur son manipulateur transmettrait un message incohérent. Le message sensé, celui qui fournit une information, est donc un phénomène extrêmement improbable, et la quantité d'informations dont il est porteur est d'autant plus grande que la probabilité de cette suite de signaux sera plus faible.

Or nous retrouvons cette notion d'information avec le deuxième principe de la thermodynamique de Carnot-Clausius, la tendance au désordre et la notion d'entropie. L'information nous apparaît liée étroitement à la différenciation, à la structure d'un système. Plus un effecteur organique se différencie, moins il demeure sensible à des facteurs variés, mais plus il devient sensible à l'égard de l'un d'eux. Sa valeur informative augmente.

Si l'on n'envisage la vie que sous son aspect thermodynamique, une cellule ou un organisme vivant ne peuvent contenir une masse plus importante que celle qui constitue la masse de l'ensemble des molécules qui la forment. Seule la notion de structure, de relations entre les éléments, peut nous faire comprendre ce que « le tout possède en plus de la somme des parties ». Elle exprime, en plus, pour une même masse, l'ensemble des relations spécifiques que ces molécules vont présenter entre elles et l'ensemble des relations que cet ensemble de relations internes qui constituent la cellule ou l'organisme, vont contracter avec leur environnement.

Cette « mise en forme » de l'énergie constitue ce que le tout peut avoir en plus de la somme des parties : c'est de l'information qui n'est, comme l'a dit Wiener, ni masse ni énergie mais seulement information. Cette information a cependant besoin d'un support énergétique pour être véhiculée. La structure, immatérielle, exige le support de la matière. Le signifié a besoin du signifiant pour exister.

NOTION DE FINALITÉ.

Ce terme ne fait appel à aucun finalisme dans le sens philosophique. Son contenu sémantique découle de l'application des lois cybernétiques. Un effecteur, c'est-à-dire tout mécanisme assurant la réalisation d'une action, d'un effet, est orienté vers un but, car il a été programmé de façon à l'atteindre. L'œil est fait de telle façon qu'il participe au phénomène de la vision. Pittendrigh [1] remplace le terme de finalité par celui de « téléonomie », repris par J. Monod, pour désigner l'action des systèmes opérant sur les bases d'un programme, d'une information codée.

Un organisme est constitué de structures fonctionnelles qui par niveaux d'organisation concourent à la finalité de l'ensemble, finalité qui paraît être ce que l'on peut appeler sa survie et qui résulte du maintien de sa structure complexe dans un milieu qui l'est moins, ce qui paraît être aussi un échappement constant au deuxième principe de la thermodynamique, à l'entropie. Cette notion nous amène à considérer que la finalité de chaque élément, de chaque sous-ensemble ou partie d'un organisme vivant, concourt à la finalité de cet organisme, mais qu'en rétroaction, le maintien de sa structure d'ensemble, finalité de cet organisme, assure la finalité de chacun de ces éléments, et donc le maintien de leur structure.

Note : Nous avons utilisé et utiliserons sans doute encore le terme de « vie ». C'est un terme dangereux

---

1. PITTENDRIGH C.S. (1958), in *Behavior and Evolution*, A. Roe et G.G. Simpson ed., Yale Univ. Press, New Haven, Conn., p. 391.

car chacun recouvre avec lui un ensemble de préjugés inconscients. Il faudrait parler de systèmes vivants. Compte tenu de cette méfiance à son égard, nous continuerons par commodité à l'utiliser, non sans le dépouiller de tout contenu mythique et sans essayer surtout de le définir.

II

CADRE SCHÉMATIQUE
POUR UNE APPROCHE THÉORIQUE
DE L'URBANISME

La ville constitue une production humaine. Mais l'Homme n'a pas toujours été urbanisé, et l'étude des facteurs de son urbanisation progressive nous fournira des renseignements précieux sur la signification de la ville à travers l'Histoire jusqu'à l'époque moderne.

Il serait plus exact d'ailleurs de penser que la ville représente le produit d'un groupe social. On peut dire alors, en utilisant le langage de la cybernétique, que la ville est l' « effet » d'un effecteur et que cet « effecteur » est le groupe social. Mais cet énoncé, qui paraît évident, est cependant inexact, car un effecteur pour agir a besoin d'un but, d'une finalité. Il est en effet « programmé » pour cela. Or la finalité d'un groupe humain n'est pas de construire une ville. Elle est de vivre, de maintenir sa structure. Un groupe humain, en cela, ne se différencie pas d'un organisme vivant, c'est-à-dire d'un groupement cellulaire, dont la finalité ne peut être que le maintien de son organisation, de sa structure complexe dans un environnement qui l'est moins[1]. La ville n'est ainsi qu'un « moyen » de réaliser cette finalité; elle ne peut être cette finalité elle-même. Bien plus, nous verrons qu'elle ne paraît être qu'un moyen indirect, car le moyen fondamental du maintien de la structure d'une société bourgeoise, par exemple, est avant tout le profit. Dans ce cas précis, la ville ne sera

---

[1]. H. LABORIT, *Physiologie humaine, cellulaire et organique*, Masson et Cie, 1961.

qu'un moyen secondaire de réaliser celui-ci, lui-même
nécessaire au maintien de la structure sociale.

Notons que nous nous trouvons immédiatement
placés devant un phénomène essentiellement biologique.
En effet, la finalité d'une machine n'est pas de maintenir
sa structure. Le « programme » qui lui est imposé par
l'homme est généralement distinct de sa propre conservation. La finalité d'une voiture automobile, par exemple,
est de rouler et non pas de se maintenir en tant que
structure complexe. Alors que la finalité d'une structure
vivante, quel que soit le niveau d'organisation auquel
elle se situe, est toujours et ne peut être que de maintenir
sa structure. Ainsi, le fait de considérer la ville comme le
produit d'une structure vivante, d'un groupe social,
nous conduit aussi à la considérer comme « un moyen »
utilisé par cet organisme vivant pour conserver sa
structure.

Comprise ainsi, la ville devient elle-même un « effecteur » puisqu'elle agit en maintenant la structure du
groupe humain. Ce groupe humain devient alors le
« facteur » de la ville car sans groupe humain pour la
construire, pour l'habiter, pour l'utiliser, pas de ville
(fig. 4).

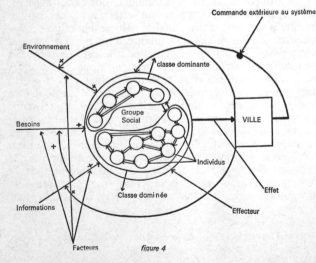

figure 4

A ce niveau d'organisation de l'ensemble dynamique, nous voyons déjà apparaître une rétroaction de la ville sur le groupe humain. Suivant la structure de la ville, celle du groupe humain sera consolidée ou fragilisée puisqu'un des facteurs de la structuration du groupe humain sera la structure même de la ville. Suivant que cette dernière, par exemple, facilitera la ségrégation de classe ou la ségrégation raciale, la structure ségrégative du groupe humain sera elle-même aggravée, et une telle aggravation peut conduire à la révolte du groupe humain. Il en résulte que la finalité, la motivation du groupe humain qui conduit à l'établissement de la ville, possède une importance fondamentale. Si elle n'a comme unique signification, par exemple pour une société marchande, que d'augmenter le profit, par les transactions immobilières, la vente des terrains ou la location et la vente de l'espace bâti, l'utilisation de cet espace bâti avant tout pour exposer et vendre la marchandise, elle risque de favoriser le profit aux dépens de la stabilité de la structure sociale. Elle risque en effet d'accentuer les disparités, d'aggraver certaines aliénations et de favoriser l'éclosion d'un climat révolutionnaire, pour peu que certaines informations non conformes au modèle socio-économique existant arrivent à traverser le mur opacifiant des *mass media*.

La transformation progressive de certains centres urbains au cours de l'Histoire montre que la concordance entre l'accroissement du profit d'une part, et la consolidation de la structure socio-économique ou de la classe qui initie la ville (ce qui ne veut pas dire qui l'habite), a abouti parfois à une telle caricature sociologique que des troubles sociaux irrémédiables en ont résulté. On peut alors parler d'une régulation « en tendance » conduisant au « pompage » des cybernéticiens.

Qu'est-ce à dire ? Une rétroaction positive, augmentant la valeur d'un facteur à partir de l'accroissement de celle de l'effet d'un effecteur, aboutit à la rupture du système. C'est bien le cas. Si une société de classe, animée par le profit, donne naissance à une ville autorisant l'accroissement de la structure de classe à travers l'accroissement du profit, on peut imaginer que des troubles sociaux, qui ne pourront être réglés que par la force et l'esclavage, auront bien des chances d'apparaître. La structure même de la société initiatrice risque d'en être alors complètement modifiée.

Cet aperçu rapide des interactions entre la ville et le groupe humain concerné nous permet d'envisager le rôle fondamental de la structure socio-économique du groupe humain fondateur ou utilisateur urbain. L'urbanisme pose avant tout un problème sociologique. Or une société se réalise par un groupement d'individus.

Sur quelles bases s'établissent les relations interindividuelles ? Nous pensons que pour répondre à cette question, c'est du niveau d'organisation biologique qu'il faut partir. Un individu entre en relation avec les autres individus qui l'entourent d'abord grâce au fonctionnement de son système nerveux. Comment fonctionne celui-ci ? Par quelles étapes successives est-il passé au cours de l'évolution ? Que reste-t-il dans nos cerveaux d'hommes modernes des cerveaux plus primitifs qui les ont précédés ? Quelles conséquences en résulte-t-il sur leur fonctionnement ? Ce sont bien là des connaissances indispensables à posséder, semble-t-il, pour celui qui veut comprendre les lois qui gouvernent les comportements humains en société, celles qui président à l'établissement des structures sociales elles-mêmes, s'il veut atteindre au niveau d'organisation où ces dernières, enfin, donnent naissance à la ville et organisent l'espace qui les entoure.

Mais ce n'est pas au hasard que le groupe social donnera naissance à la ville. Le groupe social que nous avons choisi comme premier « effecteur » sera commandé par certains « facteurs ». Il vit dans un environnement spatio-temporel, et c'est dans celui-ci que se situera l'environnement urbain, l'aménagement de l'espace que va réaliser la ville. Nous abordons là l'écologie humaine, le rôle du sous-sol et du sol, celui de l'eau, des cours d'eau et des débouchés maritimes, de l'environnement géoclimatique dans son ensemble. Les voies de passage et de migration, les possibilités de production et d'échanges, sont des « facteurs » fondamentaux de l'établissement d'une ville, hier comme aujourd'hui. De plus, une ville n'est jamais isolée. Elle fait partie d'une région, se trouve liée administrativement et économiquement à d'autres villes, à d'autres régions ; elle fait ainsi partie de plus grands ensembles régionaux ou nationaux. Les frontières administratives ne sont pas toujours cohérentes avec la finalité de la ville, c'est-à-dire avec celle du groupe social qui l'anime. Du moins ces finalités sont-elles susceptibles de changer au cours des siècles, une implantation défensive pour une époque n'ayant pas obligatoirement de raison d'être pour une autre époque, et il en est de même pour une position commerciale ou industrielle valable pour une époque et non pour l'autre. Les activités humaines évoluent comme les sociétés qui les expriment. Les villes aussi.

Un autre facteur que la ville moderne ne peut éluder : c'est le fait que notre civilisation est devenue une civilisation industrielle. Quel que soit le système socio-économique envisagé, capitaliste ou socialiste actuel, ou socialiste de demain, la civilisation industrielle est une étape de l'évolution humaine que nous devons assumer. Or la civilisation industrielle est à l'origine du travail en « miettes » de l'ultra-spécialisation à tous les niveaux et, en conséquence, d'une part de la dépendance étroite de l'individu à l'égard du groupe humain, et d'autre part de l'obscurcissement, pour lui, de son rôle social, de sa signification historique. C'est aussi la civilisation industrielle qui a abouti à la notion de la production pour la production, même si dans certains systèmes cette production n'a pas pour but unique l'accroissement du profit de quelques-uns. C'est enfin la civilisation industrielle qui est à la source de la pollution de la biosphère par ses produits de déchets, ainsi que de la spoliation accélérée de certaines ressources naturelles qui sont loin d'être inépuisables. On retrouve ainsi, par le biais de l'étude d'un facteur d'organisation des sociétés, un autre facteur déjà signalé, l'écologie. Et là encore on conçoit que, suivant la finalité et les motivations du groupe humain, une régulation en tendance ou en constance sur le milieu devra être envisagée. Si la finalité est la survie, le contrôle de la pollution, quoi qu'il en coûte au capital, sera victorieux. Si la finalité est le profit, ou du moins si le groupe humain est prêt à sacrifier la survie de l'ensemble au profit de quelques-uns ou au profit tout court, alors la pollution ne pourra être efficacement traitée, malgré les bonnes paroles et les discours philanthropiques. Mais de toute façon, il ne peut être question de retourner au néolithique, et nous verrons quelles solutions ont été trouvées par la vie au cours de sa déjà vieille histoire pour résoudre des problèmes analogues. Il n'est pas impensable de s'en inspirer.

Notons enfin que si la ville correspond à un « besoin » de l'espèce humaine arrivée à son stade d'industrialisation, il faudrait encore définir biologiquement la notion de besoin, acceptée comme une donnée immédiate de la conscience et rarement discutée dans son mécanisme. Nous avons ailleurs [1] défini le besoin comme « la quantité d'énergie et d'information nécessaire au maintien d'une structure ». Dans cette définition entrent les besoins instinctuels, ceux nécessaires au maintien des structures innées, et régis, nous le verrons, par le cerveau reptilien, l'hypothalamus en particulier. Entrent aussi dans cette définition les besoins résultant des automatismes créés par l'apprentissage et commandés par la mémoire, les habitudes et le système limbique. Au-delà, la notion du besoin s'évanouit car on n'a pas besoin de ce qu'on ignore. D'où l'importance de l'information pour créer le besoin. On imagine ainsi que dans une structure socio-économique donnée, la fraction dominante, par l'intermédiaire du pouvoir et des *mass media*, fournira à elle-même et aux autres groupes sociaux participant à la structure d'ensemble, les informations, et donc suscitera les besoins et ne suscitera que les besoins, lui permettant de maintenir, de perpétuer sa domination, en perpétuant et en maintenant la structure socio-économique qui autorise cette domination. La ville est un moyen de permettre la diffusion de ce type exclusif d'informations, un moyen de créer les besoins nécessaires au maintien de la structure socio-économique qui l'a fait naître et eux seuls.

BIOLOGIE ET URBANISME : LA VIE ET LA VILLE.

L'approche que nous venons d'en tracer n'a que de lointains et indirects rapports avec l'hygiène urbaine telle qu'elle est classiquement traitée, ou l'hygiène du travail, telle que d'excellents livres l'étudient.

Quelle température, quelle intensité lumineuse, quel état hygrométrique sont exigés pour effectuer un travail spécifique, quel espace, quel volume, quelle couleur sont favorables au repos, au sommeil, aux différentes activités humaines ? Ce sont là aussi des aspects des rapports entre la biologie et l'urbanisme. Nous ne les envisagerons pas car nous n'avons l'intention que de fournir un cadre

1. H. LABORIT, *L'Homme imaginant*, p. 49, Union générale d'éditions, Coll. 10/18, 1970.

général, une approche globale, mais une approche dynamique, relationnelle du phénomène urbain dans ses
rapports avec l'homme et l'environnement.

* * *

De même, nous avons éliminé tout rapprochement
analogique entre la ville et les organismes vivants, entre
structure urbaine et structure biologique. Ces analogies,
si souvent exprimées, ne peuvent être que constructions
gratuites de l'esprit, que jeu poétique. En effet, la ville
est une production de la vie, une sécrétion, une enve-
loppe. Si une analogie peut être tentée, c'est entre un
organisme vivant et la structure sociale génératrice de
la ville qu'il faut la chercher. Quant à la ville, c'est à la
fois un outil et un vêtement, une cuirasse et une limi-
tante, un lieu d'échanges, une membrane. Si sa structure
est déterminée par celle du groupe humain qui la suscite
et l'utilise, elle ne peut être imaginée analogiquement
à cette structure ou comparée à elle sans confondre
l'effecteur et l'effet, le système et sa finalité. *La ville
n'est pas un organisme, mais elle représente un des moyens
utilisés par un organisme social pour contrôler et maintenir
sa structure.*

III

L'EFFECTEUR
(L'individu biologique — L'homme social)

L'INDIVIDU BIOLOGIQUE

L'ÉVOLUTION, CONSERVATRICE, ADDITIONNELLE ET DÉTERMINÉE OU MUTATIONNELLE ET ALÉATOIRE ?

Puisque la ville est une production humaine, avant d'aborder l'étude de la sociologie urbaine, il est nécessaire de connaître le fonctionnement biologique de l'élément de base des groupes humains : l'Individu.

Cette connaissance est récente. L'Homme s'est d'abord vu distinct et différent du monde qui l'entoure, et c'est sur ce dernier que son regard s'est d'abord posé : il en est résulté l'établissement de la physique et, plus précisément, de la thermodynamique, ce monde permettant l'expérimentation et la découverte des relations invariantes, celles des lois. Trompé par son langage, dont les relations avec l'objet ne sont pas biunivoques, il a cru, par l'introspection, pouvoir se connaître lui-même, comme il avait fait connaissance du monde physique. Mais inconscient des mécanismes de sa conscience, inconscient surtout des mécanismes de son inconscient, il a dichotomisé le monde physique et le monde psychique. Enfermé en lui-même, l'Homme s'est conçu séparé du monde qu'il observait et qu'il croyait exister *en dehors de lui*, sans comprendre que ce monde le pénétrait jusqu'à la moindre de ses particules élémentaires. Il s'est conçu libre dans un monde déterminé dont il découvrait pas à pas l'implacable rigueur, l'organisation cosmique et particulaire.

Bien plus, devenu conscient des échanges incessants de matière, donc d'énergie, entre ce monde et lui, devenu conscient de l'influence de l'un sur l'autre, il a cru plus récemment qu'il suffisait d'agir sur l'un pour transformer l'autre. L'Homme, en agissant simplement sur son milieu, serait capable de se transformer. Il suffirait de transformer fondamentalement les rapports sociaux pour transformer l'individu. Or cette proposition nécessaire s'est révélée insuffisante; parce que l'Homme n'est pas séparé de son environnement, il en fait intégralement partie et *que pour transformer l'environnement il faut aussi transformer l'Homme*. Or, pour transformer l'Homme, il faut d'abord le connaître : il y a à peine vingt ans que la science commence à nous fournir les rudiments de cette connaissance.

En effet, les processus vivants ne se résument pas à la thermodynamique. Les lois structurales sont nécessaires à connaître pour les comprendre. Ce que la vie ajoute à la matière, c'est une information, une « mise en forme ». Et l'information, comme l'a écrit Wiener, n'est ni matière ni énergie, elle n'est qu'information; si elle a besoin d'un support énergétique, le signifiant en quelque sorte, le signifié ne peut se résumer à l'énergie et à la matière. Il fallait donc l'apparition des mathématiques modernes, de la théorie des ensembles, de celle des systèmes, de la théorie de l'information née en 1948 avec Shannon, de la cybernétique enfin, capable de fournir la dynamique des structures évoluant dans le temps, pour commencer à comprendre le mécanisme des processus vivants [1].

Si l'on imagine un organisme vivant « déstructuré », c'est-à-dire pour lequel les éléments qui le constituent ont perdu leurs relations réciproques originelles, on peut également penser que la même masse et la même énergie seront intégralement conservées, et cependant cet organisme n'en sera plus un, du seul fait qu'il aura perdu l'information, c'est-à-dire la structure organisée qui faisait de lui un organisme et non une masse de matière inorganisée.

Ce qui caractérise la molécule d'acide désoxyribonucléique (ADN) qui, comme on le sait, est le support de toutes les informations qui donnent naissance à un organisme vivant quel que soit le niveau de complexité qu'il occupe dans la hiérarchie des espèces, ce ne sont pas les éléments qui la constituent, qui sont retrouvés

1. H. Laborit (1963), *Du Soleil à l'Homme*, Masson et Cie.

intégralement dans la matière inerte, mais la façon dont ils sont réunis.

On a tendance, à l'heure actuelle, à penser que cette réunion spécifique est l'œuvre du hasard. Il est curieux de constater que si l'on réunit quelques éléments simples qui devaient être présents dans l'atmosphère terrestre primitive et qu'on les fait traverser par une décharge électrique analogue à celle des éclairs, on note l'apparition non point de molécules multiples et variées comme le hasard pourrait les faire apparaître, mais toujours d'acides aminés — pierres fondamentales de la matière vivante. Les expériences de Miller le prouvent, et celles de Melvin Calvin et de J. Oro précisent que l'on peut provoquer l'apparition de molécules plus complexes et tout aussi indispensables à l'édification de la vie, telles celles d'adénine, pièce fondamentale des acides nucléiques. Ce pourrait donc être l'inverse du hasard, c'est-à-dire un déterminisme rigoureux qui aurait présidé à l'apparition de la vie, dès que les conditions physico-chimiques nécessaires ont été réunies — et peut-on dire que cette réunion est le fait du hasard parce que nous ignorons les facteurs qui l'ont primitivement favorisée ?

Notre esprit est profondément influencé par le deuxième principe de la thermodynamique (Principe de Carnot-Clausius) qu'exprime la notion d'entropie croissante de la matière, notion qui a été enrichie grâce à Boltzman et Gibbs par celle du désordre croissant accompagnant l'entropie croissante, la tendance au nivellement thermodynamique. La théorie de l'information est venue compléter ces notions en montrant qu'avec l'augmentation de l'entropie, du désordre, une perte progressive d'information existait aussi. Si bien que nous avons peine aujourd'hui à concevoir la vie, comme négentropie, ordre croissant, information de plus en plus grande. Nous avons de la difficulté à concevoir que cette orientation inverse de celle qui gouverne le monde de la matière, puisse naître du désordre, et du fait même de ce désordre. Il y a là un problème — car la vie ne peut apparaître ni dans les soleils en fusion, ni dans les astres morts à une température voisine du zéro absolu. Elle ne peut apparaître que dans des conditions intermédiaires, celles de la biosphère primitive — et qui ne fut biosphère que parce que ces conditions y étaient réunies. Là, l'apport de l'énergie photo-

nique solaire fut sans doute à l'origine d'un accroissement *limité* de l'entropie qui, augmentant l'agitation
des particules, accrut les chances de rencontre de
certaines d'entre elles que leur structure physique
rendait particulièrement aptes à former des associations
plus stables. Il en était ainsi pour l'atome du carbone
dont un électron délocalisé (électron π), ayant en conséquence une certaine autonomie par rapport au noyau,
a pu fournir le matériau de base avec lequel a pu se
bâtir la vie.

Mais dès lors que la molécule apparaît (et sans doute
bien avant), l'espace est orienté, il n'est plus libre. Le
hasard, si tant est qu'il existait avant, disparaît. L'observation à partir de notre échelle d'observation nous y
fait croire encore. Il faut constater qu'on en parle à
nouveau aujourd'hui aux deux niveaux auxquels nos
connaissances scientifiques sont encore incomplètement
assurées : celui des particules élémentaires et celui de la
sociologie. Entre ces deux niveaux, la part du hasard
est si étroite que l'on peut se demander s'il existe.
Nous reviendrons sur cette notion en abordant la
biologie des comportements et la notion de Liberté.

⋆⋆*

A partir du moment où la vie est en marche, où le
plus complexe s'organise au sein du moins complexe,
une régulation interviendra entre l'un et l'autre de telle
façon que le plus organisé conserve sa structure au sein
du moins organisé dont il tire ses éléments. Les éléments
atomiques sont les mêmes dans le monde inanimé et
dans celui de la vie; ce sont les relations entre ces atomes
qui sont spécifiques du monde de la vie : elles définissent
la structure d'un organisme vivant. Le maintien de
celle-ci fait appel à des régulations en constance, avec
rétroaction négative de l'effet sur les facteurs [1], et nous
retrouverons un tel type de régulations à tous les niveaux
d'organisation de la matière vivante, de la molécule au
comportement. C'est une telle régulation, résultant des
lois reposant sur l'accroissement des surfaces par rapport

1. H. LABORIT et B. WEBER (1958), « Application d'un mode
de représentation cybernétique aux régulations physiologiques »,
La Presse médicale, 79, pp. 1779-1781.

aux volumes, qui a commandé sans doute l'apparition des *niveaux d'organisation* [1].

Le plus complexe ne pouvant s'organiser qu'à partir du moins complexe qui l'entoure, les surfaces croissant comme les carrés tandis que les volumes croissent comme les cubes, les échanges entre plus complexe et moins complexe se réalisent par les surfaces, à mesure que les « morceaux » de matière vivante s'organisent ils vont être obligés de se fragmenter pour continuer à croître. On n'imagine pas une cellule grosse comme un bœuf, non plus qu'une molécule grosse comme une cellule. Encore que l'existence de canalicules nombreux pénétrant le cytoplasme, et limités par une invagination de la membrane protoplasmique de surface, ait permis l'accroissement de la surface par rapport au volume protoplasmique, et en conséquence l'accroissement des échanges entre animé et inanimé, cette loi paraît demeurer grossièrement valable. Elle permet de comprendre pour... à partir d'un certain volume cellulaire, ... poursuivre qu'en réalisant des ... au sein desquelles une spécialisation fonctionnelle ... apparut. Celle-ci fut commandée sans doute par ...isation des éléments cellulaires par rapport à la surface de la colonie, elle fut donc elle aussi dirigée par l'environnement. Mais certains êtres unicellulaires ...bes sont capables, quand leur milieu ...riture, de se réunir en colonies, ayant ... ère, et que le vent peut transporter ...us apte à leur survie. Elles se dissociant ...ent leur existence unicellulaire. De ce « rassemblement » social est déclenché par la libération ... d'une molécule, l'adénylate cyclique, qui ...e dans la lignée animale jusqu'à l'homme, ...ntermédiaire entre les hormones et le ...re. Il demeure l'intermédiaire d'un activateur de groupe, l'activité hormonale.

Nous n'avons un peu insisté sur ces problèmes que parce que, dans l'optique qui est la nôtre, les solutions trouvées par le déterminisme évolutif sont peut-être à retenir pour inspirer certaines solutions à apporter

[1]. Nous conserverons ce terme de niveaux d'organisation que nous utilisons depuis de nombreuses années, bien que, depuis, A. Koestler les ait surnommés « holons », et, plus récemment, J. Jacob, « integrons ».

aux problèmes urbains. Mais nous répétons que nous ne recherchons aucune analogie — et nous avons déjà dit pourquoi — entre les structures vivantes et les structures urbaines.

***

L'évolution considérée comme le résultat de mutations aléatoires, puis d'une sélection des formes les plus aptes, hasard et déterminisme, comme nous le proposions en 1959 [1], ou hasard et nécessité comme le formule à nouveau J. Monod (1970) [2], est une interprétation à laquelle nous avons en effet adhéré, il y a douze ou treize ans — mais qui nous convient beaucoup moins à l'heure actuelle. Notons d'abord que la notion du déterminisme n'a plus la signification qu'elle possédait au début du siècle, celle d'une causalité linéaire. En ce qui concerne les êtres vivants, et à quelque échelle d'organisation où on les observe, l'effecteur possède déjà une structure complexe et par cela même imparfaitement connue. Les facteurs qui le commandent sont si nombreux et en interrelations réciproques qu'il est difficile, voire impossible de les définir tous. L'effecteur peut avoir plusieurs effets corrélatifs, et ceux-ci pourront réagir par rétroaction *(feed-back)* sur la valeur des facteurs qui les déterminent pour la maintenir dans un certain domaine. Mais dans un tel mécanisme, où peut s'introduire l'aléatoire ? Il ne peut venir que de l'extérieur du système qui, par ailleurs, est parfaitement régulé. Or, ce qui paraît aléatoire pour un système régulé à *un niveau* d'organisation, n'est, au sein des processus vivants, que l'effet parfaitement régulé d'un système d'organisation supérieur, plus grand ensemble comprenant le précédent comme sous-ensemble ou partie. Nous pouvons remonter ainsi de niveaux en niveaux d'organisation jusqu'à l'organisme entier. Et nous dirons alors que l'aléatoire existe dans son environnement physico-chimique.

Notons que cet aléatoire, à supposer qu'il existe, ne peut varier dans ses caractéristiques que de façon restreinte, sans quoi la vie ne serait plus possible. Elle

1. H. LABORIT et P. MORAND (1959), *Les destins de la vie et de l'homme*, p. 85, 1 vol., Masson et Cⁱᵉ, Paris.
2. J. MONOD (1970), *Le hasard et la nécessité*, Ed. du Seuil, Paris.

ne l'est que dans des limites fort étroites des caractéristiques physico-chimiques de l'environnement. Ce qui aboutit à dire que cet environnement est lui-même homéostasié, c'est-à-dire déterminé, régulé.

Ce qui conduit alors à concevoir que l' « aléatoire » ne paraît tel que pour un niveau d'organisation, mais qu'il appartient au déterminisme des niveaux d'organisation sus ou sous-jacents. Si bien qu'en reprenant les textes que nous avons écrits il y a douze ou quinze ans, nous sommes conduits aujourd'hui à préciser que *le terme de hasard n'est valable que par rapport au niveau d'organisation auquel on se place*, et qu'un des objectifs de la science paraît être d'en réduire le royaume en cherchant à préciser les régulations qui opèrent à des niveaux d'organisation qu'elle n'a pas encore pu faire pénétrer dans son domaine. Dès lors qu'ils y pénètrent, ils se trouvent soumis à des lois. Le calcul statistique n'est alors que le moyen habile de sauter au-dessus de notre ignorance temporaire, ou même définitive (coefficient d'incertitude d'Heisenberg).

Il n'est peut-être pas si sûr que la mutation ait toujours un caractère improbable. Compte tenu du cadre temporel considérable de l'évolution biologique, on peut aussi admettre l'hypothèse qu'entre chaque niveau d'organisation toutes les possibilités combinatoires ont été explorées par la vie. Dès lors, la mutation ne nous paraît improbable que parce que seules les formes subissant victorieusement la pression de sélection ont pu se multiplier et laisser des traces parvenant jusqu'à nous. Mais la vie, depuis ses origines, a sans doute eu le temps d'explorer, à chaque complexification supplémentaire, toutes les formes susceptibles d'être réalisées. Ce serait la conséquence inexorable des combinaisons multifactorielles à laquelle « l'invariance » génétique serait forcément soumise. La pression de sélection nous la ferait considérer longtemps après comme accidentelle.

Nous avons vu, qu'à notre avis, il n'était pas possible de passer à un degré d'évolution supplémentaire à partir de l'être unicellulaire sans faire appel à l'être pluricellulaire. Rien d'accidentel, semble-t-il, là-dedans, et l'on ne voit pas pourquoi l'organisation progressive des êtres pluricellulaires aurait dès lors dû passer par un événement improbable.

Il est sûr que les structures, et nous aurons à y revenir, ne sont pas évolutives mais conservatrices. Mais il faut ajouter que *l'évolution aussi est conservatrice*, et nous possédons encore dans notre organisme humain des structures cellulaires qui datent de l'époque où l'oxygène moléculaire n'existait pas encore dans l'atmosphère terrestre. Notre cerveau lui-même a conservé le cerveau des reptiles, celui des vieux mammifères, celui des mammifères plus récents et n'est devenu humain que par l'addition de la partie tout antérieure du lobe orbito-frontal. Il nous semble inexact de croire que la mutation consiste toujours dans la transformation par hasard de ce qui existait déjà, alors que les transformations les plus significatives apparaissent le plus souvent par addition de quelque chose à ce qui existait avant. On ne fera pas une molécule d'acide chlorhydrique en transformant soit un atome d'hydrogène, soit un atome de chlore par une mutation aléatoire, mais en les combinant d'une façon précise et dans des conditions déterminées. On transforme un cerveau de reptile en un cerveau de vieux mammifère non en transformant le cerveau du reptile lui-même par mutation aléatoire, mais *en ajoutant* à ce cerveau conservé *intégralement* une formation supplémentaire qui est le rhinencéphale.

L'évolution des formes anaérobiotiques aux formes aérobiotiques telles que nous les connaissons aujourd'hui s'est faite, rappelons-le, car des preuves multiples en ont été récemment fournies, par la *symbiose* c'est-à-dire la combinaison, l'association, de formes aérobiotiques primitives du type bactérien, aux formes anaérobiotiques qui les avaient précédées. Les premières ont donné naissance aux organites intracellulaires que nous connaissons sous le nom de mitochondries. Or, celles-ci ont leur propre matériel génétique, leur propre ADN qui n'a rien à demander pour leur propre synthèse protéique à celui du noyau [1]. De même, ces formes primitives ont emprunté à la vie végétale les peroxysomes (de Duve) que l'on trouve encore aujourd'hui, bien qu'avec un équipement enzymatique appauvri, dans les cellules du foie et des reins des mammifères et de l'homme [2].

1. Donald WILLIAMSON (1970), *Where did mitochondria come from?* New Scientist 47, 720 : 624-626.
2. En d'autres termes, on conçoit mal que l'évolution puisse se réaliser uniquement par la réorganisation aléatoire des relations entre les éléments d'un ensemble, mais plutôt par l'addition d'éléments nouveaux à cet ensemble ou par son intersection avec un autre ensemble.

Ainsi, il ne nous paraît pas certain que l'évolution repose sur des mutations du capital génétique, nucléaire et primitivement dues à une perturbation aléatoire de celui-ci. Par contre, la transmission génétique de la mutation exigerait une transformation stable du code génétique. Et l'on retombe sur la vieille discussion concernant la transmission héréditaire des caractères acquis. La possibilité révélée récemment par Témine pour un ARN cytoplasmique d'influencer le codage de l'ADN nucléaire redonne à cette hypothèse une certaine valeur en montrant que dans la vie l'information n'est pas véhiculée dans un seul sens comme Crick en avait imposé la loi, mais dans les deux sens du protoplasme au noyau et du noyau au protoplasme. Bien sûr, on a pu remplacer le noyau d'un œuf fécondé de grenouille par un noyau d'une cellule quelconque de grenouille, et obtenir une grenouille entière semblable à celle qui avait fourni le noyau de remplacement. Ce fait montre que, d'une part, toute cellule contient *toutes* les informations génétiques et que sa spécialisation fonctionnelle ne résulte que de la « répression » des autres potentialités qu'elle contient, suivant le sens que donne J. Monod à la notion de répression. Mais il montre aussi, d'autre part, qu'il existe dans le protoplasme de l'œuf fécondé des conditions physico-chimiques particulières de non-répression et, qu'en conséquence, le protoplasme est capable d'influencer l'exploitation du capital génétique du noyau : régulation cybernétique à laquelle la vie nous a accoutumés.

Tout cela pour dire que dans la notion de mutation, et bien que le mécanisme de celle-ci reste encore obscur, le hasard ne nous semble pas détenir la clef exclusive et trop facile du problème d'une part, et que, *d'autre part, la notion d'addition de formes existantes, de combinaison, de symbiose, d'hybridation nous paraît fondamentale à retenir, bien que rarement envisagée.* La complexification de la matière vivante utiliserait alors les mêmes principes que celle de la matière inanimée. Les possibilités d'hybridation entre cellules somatiques d'espèces différentes (Barski, Sorieul et Cornefert, 1960) fournissent peut-être une source d'arguments expérimentaux à cette hypothèse [1].

1. BARSKI G., SORIEUL S. et CORNEFERT F. (1960), « Production dans des cultures *in vitro* de deux souches cellulaires en association, de cellules de caractère " hybride" ». Compte rendu Académie des Sciences (Paris) *251* : 1825-1827.

Ces pages semblent assez éloignées des problèmes d'urbanisme. Cependant, si la ville est une production humaine, ce qui est attaché fondamentalement au problème du vivant, de près ou de loin, doit nous aider à en comprendre la réalité.

⁎ ⁎

Une autre notion biologique fondamentale est à retenir pour qui regarde les sociétés humaines, et même l'humanité entière d'un peu haut, du point de vue de Sirius pourrait-on dire. Pour qui regarde ce travail humain, ces cités grandissantes, cette exploitation des sols et des eaux, pour qui regarde aussi cette pellicule de vie qui recouvre notre globe terrestre, et se répand dans les océans d'où elle a surgi, ces plantes, ces formes vivantes si diverses, des mastodontes aux bactéries, la notion fondamentale à retenir est que tout cela représente de l'énergie photonique solaire transformée. Tout cela n'existerait pas et n'aurait jamais existé si depuis quelques milliards d'années l'énergie photonique solaire, l'entropie solaire, n'en était la source.

La négentropie de la vie, la mise en forme de l'énergie qu'elle représente se fait aux dépens du désordre croissant du soleil. Le travail humain, les pensées humaines, les livres, les inventions, les créations, les œuvres d'art, les concepts géniaux, comme les jugements de valeur les plus tristes, tout cela ce n'est que de l'énergie solaire transformée ou, pour mieux dire, informée. C'est là le grand ensemble énergétique, parcelle infime du cosmos, mais dans lequel s'inscrivent les sous-ensembles qui constituent nos connaissances, nos productions et celles de la vie.

L'ÉVOLUTION DES SYSTÈMES NERVEUX (fig. 5).

Quel que soit le processus en cause responsable de l'évolution des espèces, celle-ci est une réalité qui demeure. Or l'anatomie comparée du système nerveux nous montre une évolution de celui-ci des formes les plus simples jusqu'au cerveau humain.

Nous possédons encore dans notre cerveau un vieux cerveau reptilien. Il remonte à quelque deux cents millions d'années. Il est représenté dans notre cerveau humain par la formation réticulaire mésencéphalique, le mésencéphale et les formations de la base du cerveau. Le noyau caudé, le putamen et le globus pallidus des mammifères en sont l'épanouissement le plus élevé dans la hiérarchie structurale. Ce cerveau primitif permet des comportements stéréotypés, programmés par apprentissages ancestraux. Il domine certains comportements primitifs tels que l'établissement du territoire, la chasse, le rut et l'accouplement, l'apprentissage stéréotypé de la descendance, l'établissement

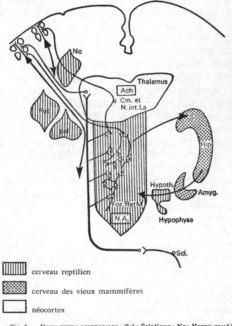

cerveau reptilien

cerveau des vieux mammifères

néocortex

Fig. 5. — VOIES EXTRA-LEMNISCALES : Sci : Sciatique ; Nc : Noyau caudé ; Hip : Hippocampe ; Amyg : Amygdale ; Hypoth : Hypothalamus ; Cm : Centre médian ; N. int. La : Noyaux intralaminaires du thalamus ; For. Ret. M. : Formation réticulée mésencéphalique ; Put : Putamen ; Pal : Pallidum ; Ach : Acétylcholine ; N. A. : Noradrénaline ; S : Sérotonine.

des hiérarchies sociales, la sélection des chefs, la fuite ou la lutte, la faim et la soif. Il est illustré, comme l'indique McLean (1964) [1], par le comportement de la

1. McLean P.D. (1964), *Man and his animal brain*, Mod. Med. *32* : 95-106.

tortue qui retourne toujours à la même place chaque année pour y déposer ses œufs. C'est un instrument parfaitement inadapté à l'apprentissage d'un comportement différent à l'égard d'une situation nouvelle et inopinée. Il est important de savoir que le cerveau perfectionné de l'homme s'est bâti sur ces fondations et peut-être aussi de reconnaître la part prise par ce cerveau reptilien dans le comportement humain à l'égard des rites cérémoniaux, des lois, des opinions politiques, des préjugés sociaux et de tous les conformismes d'une époque. Le chien, lorsqu'il urine sur un réverbère pour délimiter son territoire, obéit encore à son cerveau reptilien. Il serait utile de savoir ce qui subsiste chez l'homme de cet automatisme dans la notion de propriété, de classe ou de patrie, car son fonctionnement réflexe, donc inconscient, est ignoré ou plus dramatiquement encore, considéré comme découlant de principes fondamentaux, voire de principes éthiques liés à la « nature » humaine, alors qu'il a surtout fait, bien avant, partie de la « nature » reptilienne que nous portons toujours en nous. Ignorer son existence et sa puissance fondamentale, c'est ouvrir une voie large aux névroses, si le groupe social oblige à refouler, à inhiber son fonctionnement. C'est au contraire favoriser un comportement reptilien, si la société pour son avantage en facilite ou en favorise l'expression. Les bandes dessinées ne font pas de différence fondamentale entre les gangsters et les héros.

L'étape suivante de l'évolution a recouvert le cerveau reptilien, chez les mammifères, d'une calotte corticale. Chez tous les mammifères, il est en effet recouvert d'un cortex primitif que Broca a appelé lobe limbique. Il présente des connections étroites avec l'appareil olfactif, si bien qu'on a cru longtemps que ce vieux cerveau des mammifères ne possédait que des fonctions olfactives et qu'il fut longtemps appelé rhinencéphale. C'est Papez (1937) [1] qui montra, sur des bases expérimentales et cliniques, que ses fonctions étaient considérablement plus étendues et qu'il jouait un rôle fondamental dans les activités émotionnelles, endocrines et viscéro-somatiques.

1. Papez J. (1937), « A proposed mechanism of emotion », *Arch. Neurol. Psychiat.* (Chicago) *38* : 725-743.

McLean (1952) [1] suggéra le terme de « système limbique »
pour désigner l'ensemble des structures sous-corticales
en relation étroite avec le cortex limbique. Sa structure
est fort semblable chez tous les mammifères, et cette
structure est encore primitive par rapport au néocortex.
Il continue à fonctionner chez l'homme à un niveau
instinctif, et ses connections étroites avec l'hypothalamus
montrent qu'il est obligé de jouer un rôle essentiel
dans les expressions émotionnelles telles que la peur,
la colère, l'amour, la joie, etc., « sentiments » caractérisant
des situations aussi bien individuelles que de groupe.
Refoulé chez les mammifères et chez l'homme par le
développement du néocortex, il comprend un circuit
(circuit de Papez) qui, rejoignant différentes formations
partant de la formation réticulaire du tronc cérébral
pour y revenir, unit l'hippocampe, l'amygdale et l'hypothalamus en particulier.

Mais à côté de cette fonction, le système limbique
possède aussi un rôle important dans la fixation des
traces mémorisées. On sait qu'à côté d'une mémoire
immédiate ou à court terme, sensible à l'électrochoc et
qui met en jeu des circuits réverbérants, existe une
mémoire tardive ou à long terme sensible aux inhibiteurs
de la synthèse protéique tels que l'actinomycine D et la
cycloheximide. On admet de plus en plus que l'engrammation nerveuse des expériences serait liée à la synthèse
dans notre système nerveux de molécules protéiques
nouvelles. Le système limbique paraît indispensable à
cette engrammation, et voici de nombreuses années
que nous avons attiré l'attention sur le fait qu'il est
particulièrement riche en sérotonine. Or, nous avons pu
montrer également que la sérotonine se comportait
comme une substance de croissance aussi bien dans le
règne végétal qu'animal. Les auxines, substances de
croissance végétale, présentent également le noyau
indol caractéristique de la sérotonine. Celle-ci paraît
faciliter la synthèse protéique. S'il en est ainsi, l'organisme qui a terminé sa croissance staturale pourrait,
grâce à elle, continuer la croissance informative de son
système nerveux.

Enfin, dans une troisième étape de l'évolution, appa-

---

1. McLean P.D. (1952), « Some psychiatric implications
of physiological studies on fronto-temporal portion of limbic
system », *Electro-enceph. clin. Neurophysiol.* 4 : 407-418.

raît tardivement chez les mammifères les plus évolués un « néocortex » enveloppant les deux autres. Il est d'autant plus développé que l'espèce est capable de plus d'adaptations originales par rapport au milieu, et l'on peut suivre son développement croissant du lapin au chat, au singe et à l'Homme par exemple. La partie la plus intéressante de ce néocortex, à savoir la zone antérieure associative du lobe orbito-frontal, caractérise le cerveau humain. Zone associative, permettant l'apparition d'activités nerveuses variées, des solutions comportementales de moins en moins stéréotypées, elle constitue la base fonctionnelle de l'imagination, de l'imagination créatrice de nouvelles structures fonctionnelles, d'activités nerveuses plus complexes, moins *directement* dépendantes de l'environnement. Quand une interaction du système nerveux humain avec une variation énergétique de l'environnement survient, cette interaction va transformer l'activité des systèmes neuronaux, qui en étroite relation avec les éléments sensoriels vont « intérioriser » cette interaction. Mais cela est valable pour les trois cerveaux, le reptilien, le paléocerveau limbique et le néocortex. Ce qui est particulier à ce dernier, c'est la possibilité de faire varier presque à l'infini ces relations interneuronales « incorporées », de les « mélanger » de telle façon que des relations, non directement mais indirectement conditionnées par l'environnement, apparaissent entre les activités historiques et présentes du système nerveux. Il en résultera un comportement original, une prédiction des relations possibles avec un environnement changeant, une anticipation même des variations de cet environnement. Autrement dit, le paléocéphale se tourne vers l'avenir poussé par ses expériences passées : il fait de la « programmation ». Le néocéphale saute dans le futur en prenant appui sur le passé et en regardant alors le présent monter vers lui : il fait de la « prospective ». Il imagine le futur et tente de conformer le présent à cette construction imaginaire. Il fait des hypothèses de travail et expérimente pour tenter de les confirmer.

En résumé, tronc cérébral et système limbique permettent de rechercher, orientés par la qualité agréable ou désagréable des informations reçues, la survie immédiate, soit, en d'autres termes, la protection de la structure hiérarchisée de l'organisme. Les comportements auxquels ils donnent naissance sont ou vraiment stéréotypés ou du moins extrêmement simples. S'ils ont été indispensables à de nombreuses espèces pour survivre jusqu'à nos jours dans un milieu aux caractéristiques relativement stables, ils ne leur ont pas permis une adaptation perfectionnée, ni surtout une connaissance et une prévision, autrement dit une transformation du milieu favorable à leur survie. Nous ne prenons conscience de leur fonctionnement inconscient que par les phénomènes végétatifs qui l'accompagnent : vaso-constriction (froid de la peur), accélération du rythme cardiaque (le cœur qui bat dans la poitrine), variations du rythme respiratoire (souffle coupé ou halètement d'angoisse), transpiration (sueurs froides) ou avec le plaisir, la vasodilatation (la chaleur qui nous pénètre), la résolution musculaire (la détente du bonheur), etc. Mais même quand nous sommes conscients de ces réactions émotives, nous restons inconscients de leur signification phylogénique, de la finalité profonde et ancestrale qui les guide. En effet, si elles expriment un état d'activité fonctionnelle de certains neurones entre eux, cet état se situe à un niveau hiérarchique des structures nerveuses centrales trop primitif pour s'ex-primer par un langage logico-mathématique du type de celui que nous utilisons dans nos échanges d'informations avec nos contemporains. Nous ne saurions exprimer le langage inconscient de notre paléocéphale qui n'exprime que toute l'anxiété obscure du phylum à une époque où les êtres ne parlaient pas encore. Or justement, c'est ce que nous avons fait. Nous avons *interprété avec notre langage tout neuf, celui de notre néocortex, notre langage logico-mathématique, notre langage des structures relation-nelles avec l'environnement, nous avons interprété et justifié, en les enfermant dans des jugements de valeur, nos pulsions primitives.* Ayant pris conscience de lui-même, ayant appris à décrire sa « niche », le morceau d'espace-temps habité par les autres et qui s'intériorise en lui, aux premières lueurs du quaternaire, l'homme a cru que cette conscience était née brusquement, isolément, sans voir qu'elle n'était que l'écume surgis-sant du déroulement des vagues profondes du secondaire et du tertiaire. Supprimez les vagues et l'écume disparaît. L'écume, comme le néocortex et son langage, se trouvant à une interface entre deux éléments ne répond pas aux mêmes lois que les couches profondes, la lame qui la porte. Bien qu'intimement liés et ne pouvant exister l'un sans l'autre, ce sont deux mondes différents. Freud semble avoir été le premier à s'en apercevoir d'une façon assez empirique à laquelle la neuropsychopharmacologie moderne fournit des faits expérimentaux nombreux.

En effet, ce monde souterrain des affects, la biochimie toute récente du cerveau et la neuropsychopharmacologie, nous ont apporté sur lui des informations capitales. En vingt ans une nouvelle science est née, réellement interdisciplinaire et dégageant enfin la neurophysiologie de l'artisanat d'électricien savant dans lequel elle risquait de se perdre. *Il en résulte qu'aujourd'hui la pharmacologie du système nerveux ne débouche plus seulement sur la thérapeutique des maladies mentales, mais beaucoup plus largement sur l'action de l'Homme sur lui-même et sur son comportement.*

* * *

En effet, si la neurophysiologie a étudié patiemment l'anatomie du système nerveux au cours de l'évolution des espèces, si elle a étudié surtout les relations fonctionnelles existant entre les voies nerveuses et les groupements de cellules nerveuses (neurones) dans les centres nerveux, en confrontant sans cesse la fonction et la structure, si elle a étudié enfin le mécanisme de la naissance et de la propagation de l'influx nerveux, c'est tout récemment qu'elle a dû transmettre le témoin à la neurobiochimie pour continuer la course de la connaissance à un niveau d'organisation plus fin, celui du fonctionnement de l'usine chimique microscopique que représente toute cellule en général, toute cellule nerveuse en particulier.

On s'est ainsi aperçu que l'intensité, la qualité, l'orientation de l'influx nerveux au niveau des centres comme à la périphérie étaient la conséquence de la synthèse puis de la libération par le neurone de substances chimiques particulières qui, ici excitent, là inhibent, son fonctionnement ou la propagation de l'influx d'un neurone à l'autre. L'isolement, puis la synthèse des molécules impliquées ont permis d'agir sur cette dynamique cellulaire, de même que la découverte massive de molécules antagonistes ou synergiques des précédentes a permis d'intervenir de façon encore plus précise sur ce fonctionnement.

Le développement de la biochimie cérébrale a eu encore un autre avantage, celui de préciser la part prise, dans le comportement d'ensemble de l'individu, par certaines régions encéphaliques et de compléter ainsi l'approche relativement grossière de la neurophysiologie.

Il résulte de l'évolution contemporaine de nos connaissances concernant le fonctionnement du système nerveux, que nous avons à notre disposition aujourd'hui pour l'influencer un outil culturel plus solide d'une part, puisque jusqu'ici nous n'avions avec le langage que la possibilité d'expliquer, toujours logiquement, et de défendre nos comportements les plus primitifs en ignorant les pulsions fondamentales qui nous font émettre ce qui n'est généralement qu'un tissu serré de jugement de valeur. Un outil pharmacologique, d'autre part, dont la majorité redoute qu'il ne constitue, entre les mains d'un pouvoir, un moyen efficace d'aliénation et de domination. Nous verrons bientôt pourquoi une telle hypothèse nous paraît peu probable.

L'INNÉ ET L'ACQUIS.
L'AGRESSIVITÉ INSTINCTIVE ET LES AUTOMATISMES ACQUIS.

Le langage a utilisé des mots pour exprimer des comportements en ignorant les mécanismes neuro-physiologiques et biochimiques qui étaient à leur base. Ces mécanismes sont eux-mêmes intriqués, inter-dépendants; ils fonctionnent pour la plupart de façon inconsciente. La sémantique pour les décrire fut aussi confuse que notre ignorance était grande. Et cependant philosophes, psychologues, moralistes, légistes ont rempli des bibliothèques en transformant cette ignorance en littérature. Ils n'ont pas hésité à promulguer des lois morales, éthiques, ou autres et à imposer aux masses un comportement qui n'était que l'expression de leurs conditionnements préhumains.

L'énergie ne change pas de « valeur » suivant la forme qu'elle prend. Ce que nous appelons bon ou mauvais, vrai ou faux, beau ou laid, etc., n'est pas tel dans le monde en nous et autour de nous. Il ne devient tel que parce que cette énergie a laissé des traces mémorisées dans notre système nerveux, ce que l'on nomme l'expérience, et que notre survie, à quelque échelon d'organisation qu'on l'envisage, de la molécule au comportement, exige que nous émettions ces jugements de valeur. Ceux-ci n'ont pas d'autre valeur que celle que l'égoïsme individuel ou social, c'est-à-dire que celle du maintien de la structure, que la survie, lui attachent.

Tout ce que nous connaissons du monde, ce n'est point un environnement siégeant « autour » de notre organisme, mais seulement l'activité relationnelle que les neurones de notre système nerveux entretiennent entre eux. Quand une variation d'énergie quelconque survient dans l'environnement, capable d'influencer nos récepteurs sensoriels, elle met en jeu une succession d'événements dynamiques au sein de notre système nerveux, et cette activité est strictement fonction du type de variation énergétique qui lui a donné naissance, lumineuse, sonore, mécanique, thermique, chimique (olfactive et gustative). Il résulte de ce stimulus une réponse, un comportement qui peut s'étaler dans le temps en stratégie du fait de l'existence de circuits réverbérants. Ce comportement peut être inné s'il est inscrit génétiquement dans la structure même de l'organisme. Il peut être acquis par l'expérience personnelle de l'organisme envisagé, c'est-à-dire par l'Histoire de l'activité antérieure mémorisée de son système nerveux. Nous avons schématisé ailleurs [1] les mécanismes neurophysiologiques et neurobiologiques de ces comportements.

Sous le terme d'*inné*, on risque de réunir des notions différentes. Un comportement inné est lié étroitement à la structure même du système nerveux ou de la région de celui-ci mise en cause. Il lui est lié par une programmation génétique analogue à la programmation dont est porteur l'arbre à came d'une voiture. Ce comportement peut parfois ne pas sembler avoir de rapport avec l'environnement, car ce rapport est indirect. L'hypothalamus qui gouverne ces comportements innés n'est pas toujours stimulé directement par l'environnement. Un comportement de fuite ou de lutte résulte généralement d'un stimulus prenant directement naissance dans celui-ci. Mais la recherche de la nourriture, l'attaque d'une proie, ne sont dépendantes que de l'équilibre du milieu intérieur lorsqu'il est perturbé par l'absence de nourriture depuis un certain temps. L'hypoglycémie [2], par exemple, résultant de l'éloignement du dernier repas, sera le

1. H. LABORIT, *L'agressivité détournée*, Union générale d'édition, coll. 10/18.
2. Hypoglycémie : diminution du sucre sanguin au-dessous de sa valeur moyenne.

stimulus interne de neurones de l'hypothalamus latéral déclenchant la sensation de faim, elle-même supportée par un certain état du tonus des fibres musculaires du tractus digestif, de ses sécrétions glandulaires, de l'équilibre hormonal. *L'origine aura beau en paraître strictement endogène, elle ne sera pourtant que la résultante des rapports avec l'environnement.* On peut en dire autant du comportement accompagnant la recherche d'un point d'eau pour satisfaire la soif, d'une femelle pour l'accouplement.

C'est, à notre avis, à ces pulsions étroitement programmées que devrait se limiter le terme d'*instinct* employé généralement avec tant d'imprécision et pour décrire des processus très différents.

Ces comportements sont réellement fondamentaux, car de leur existence dépend la survie de l'individu et celle de l'espèce. Tout ce qui va s'ajouter à eux, et les moduler ensuite, ne peut leur enlever leur signification profonde. Et pourtant c'est à ce type de comportement que bien des ethnologues ont ajouté le terme d'*agressif*. Le lion est-il agressif à l'égard de la gazelle nécessaire à sa nourriture, donc à sa survie?

Si nous définissons l'*agression* comme « *l'action d'une quantité d'énergie provoquant sur une structure une tendance stable, non oscillante, au nivellement thermodynamique* », il est sûr que le lion est une source d'énergie qui peut être qualifiée d'agressive à l'égard de la gazelle. Son comportement, dans ce cas, est bien un comportement agressif. Mais le stimulus « gazelle » n'est pas une agression pour le lion dont l'hypothalamus ne répond dans ce cas qu'à l'excitation résultant de la variation de l'homéostasie de son milieu intérieur, résultant elle-même de l'éloignement de son dernier repas, de l'éloignement de son dernier approvisionnement en substrats alimentaires.

Malheureusement, l'ignorance des mécanismes neurobiologiques de ce comportement, teintée d'anthropomorphisme, tend à exprimer dans le terme d'agressivité une notion *affective* dont l'hypothalamus est incapable et dont le système limbique supporte la responsabilité. Or, si le système limbique est bien le lieu où s'effectuent les processus de mémoire d'apprentissage, et l'élaboration de ce que nous appelons les « sentiments », il s'avère qu'il contrôle l'expression, programmée dans sa structure même, du fonctionnement hypothalamique. Quand on lèse ou que l'on détruit l'hippocampe ou l'amygdale, on libère de ce contrôle l'hypothalamus instinctif. On provoque l'apparition d'un état de « Sham rage », c'est-à-dire d'un comportement de colère et d'agressivité sans raison apparente dans l'environnement.

Il semble donc que l'agressivité soit liée à ce que nous avons appelé instinct, et résulte du fonctionnement de l'hypothalamus. C'est un comportement *inné*.

Mais peut-on qualifier d'*inné*, par contre, *un comportement mettant en jeu le système limbique, c'est-à-dire la mémoire, l'apprentissage ?* Il semble que non, bien que l'existence même du système limbique du cerveau des vieux mammifères soit innée. *Mais cette structure innée, c'est un acquis, un apprentissage qui va dominer son activité fonctionnelle.* Or, la confusion est facile, car dans un cerveau où l'évolution a permis l'apparition de ces deux étages cérébraux, hypothalamus et système limbique, le fonctionnement de l'un est généralement lié à celui de l'autre dès que la durée de l'existence a permis un apprentissage. D'autre part, le caractère automatique et inconscient du fonctionnement limbique a pour effet souvent de faire prendre un comportement affectif et automatique pour un comportement inné; alors que même si l'automatisme a été créé très tôt dans la vie de l'individu, il n'en est pas moins acquis par un apprentissage mémorisé. Par ailleurs, si un stimulus externe, ou une perturbation de l'homéostasie du milieu intérieur déclenche l'activité hypothalamique, le possesseur d'un système limbique engrammé par une expérience antérieure sera capable de transformer cette pulsion instinctuelle en un comportement plus élaboré, bien que tout aussi déterminé puisque inconscient et automatique.

Un chien, ayant appris à la suite de punitions successives à refuser l'aliment offert par toute autre personne que son maître, a utilisé pour cet apprentissage son hippocampe et son amygdale. Quand, ayant à plusieurs reprises, poussé par la pulsion fondamentale de son hypothalamus latéral, accepté un aliment d'un autre que son maître et quand, chaque fois, il aura subi une punition douloureuse, la relation de causalité s'établira dans son fonctionnement nerveux entre l'aliment — la pulsion de faim — le personnage qui n'est pas son maître — et la douleur. De même, la séquence aliment — pulsion de faim — personnage qui est son maître — assouvissement sans douleur de la pulsion aura également été mémorisée. *Le comportement ne dépendra dès lors que de la prédominance relative de la pulsion sur l'automatisme ou inversement.*

Chez l'Homme, le processus éducatif est identique à la différence près qu'il se communique surtout par l'intermédiaire des mots, et que l'imaginaire peut y prendre part. Or tous ces combats intérieurs, strictement inconscients, entre les pulsions hypothalamiques et les interdits socio-culturels plus ou moins automatisés, engrammés dans l'hippocampe, trouvent dans le langage des mots comme liberté, choix, volonté, pour exprimer un comportement dont l'inconscience obligatoire des mécanismes qui le déterminent permet toujours de lui trouver un alibi, une excuse ou une interprétation logique.

Si l'on considère que la liberté, le choix expriment simplement la richesse et le nombre des automatismes, il est bien vrai qu'entre le cerveau reptilien qui régit des comportements peu nombreux, innés, génétiquement transmis, et le cerveau des vieux mammifères, le système limbique, où vont s'inscrire les automatismes nés des expériences mémorisées, et des conséquences agréables ou désagréables qu'elles ont engendrées, l'observateur non averti verra sans doute une différence que, incapable de relier à leurs mécanismes réels, il aura tendance à considérer comme exprimant un libre arbitre. Il le fera d'autant plus facilement que l'anthropomorphisme est difficile à éviter, car nous sommes, nous l'avons dit, inconscients de notre inconscient, c'est-à-dire du déterminisme de nos comportements, si bien que c'est une prétendue liberté que nous plaquerons sur le comportement animal, au lieu de lui appliquer un déterminisme que nous ignorons et qui, pourtant, survit intégralement en nous. Ou bien, inversement, n'acceptant pas *affectivement* d'être comparé à lui, nous dirons que l'animal est déterminé, instinctuel, et que nous sommes libres et conscients. Malheureusement, nous ne sommes conscients que de notre conscience, et nous sommes persuadés qu'elle remplit à elle seule notre champ comportemental.

Ainsi, à aucun moment depuis les origines, depuis l'évolution prébiotique des molécules organiques, à aucun moment semble-t-il nous ne sommes capables de trouver autre chose qu'un ensemble physico-chimique qui s'organise *suivant des lois encore imparfaitement précisées*, mais auxquelles les travaux des dix dernières années ont apporté un matériel authentique et considérable. Par contre, nous rencontrons des systèmes régulés, hiérarchiquement organisés dans l'espace actuel et le temps passé. Chacun de ces systèmes semble dépendre de l'aléatoire, qui n'est que le déterminisme des régulations des systèmes sus et sous-jacents.

Chaque fois que les commandes extérieures à un système sont précisées comme appartenant à la régulation d'un système englobant ou englobé, l'aléatoire apparent entre dans le domaine non seulement du probable, mais doit-on dire du certain, compte tenu d'une analyse non moins précise des facteurs. Le choix, l'aléatoire, l'improbable et la liberté n'apparaissent donc qu'à la limite de nos connaissances du moment, et l'événementiel n'est sans doute que le produit de notre ignorance.

*
* *

Il est peu de questions qui déchaînent plus d'affectivité que celle de l'inné et de l'acquis. J'en ai fait de multiples fois l'expérience chez les scientifiques eux-mêmes. L'homme dit de « gauche », le réformateur de sociétés, combat très généralement pour la prédominance de l'acquis. Si l'inné décidait de l'avenir de chacun, si à la naissance tout était déjà joué, si à la naissance tout ce que nous deviendrons était déjà inscrit dans le capital génétique et si notre enfance, notre adolescence et notre âge adulte n'étaient que l'expression du lent déroulement d'une spirale d'acide désoxyribonucléique, alors comment espérer en une société plus juste puisque l'injustice serait irrémédiablement donnée avec la naissance ?

Pour l'homme dit de « droite » au contraire, l'inné est tout, l'acquis n'est rien, et de vous citer d'éternelles histoires de jumeaux univitellins... Il y a les gens doués (sous-entendu dont ils font partie) et les imbéciles qui n'obtiennent dans la vie que ce qu'ils méritent, parce que le mérite s'acquiert évidemment par la rencontre fortuite de deux gamètes au sein d'un utérus. Un conservateur ne cherche qu'à conserver ses avantages sociaux, sa domination sur ses semblables et pour cela il faut que ceux-ci résultent de dons particuliers qui sont alloués à la naissance, contre lesquels le milieu ne peut rien et qui font que les chefs sont des chefs et les esclaves des esclaves.

Nous sommes bien obligé d'avouer qu'affectivement la première attitude nous paraît plus sympathique, mais il faut reconnaître que scientifiquement ni l'une, ni l'autre n'ont de valeur. Scientifiquement, il est encore bien difficile de faire la part précise de l'inné et de l'acquis dans une personnalité humaine, système complexe et multifactoriel. Tout ce que nous pouvons en dire, c'est qu'en dehors de ce que nous avons appelé « pulsions » (en limitant ce terme aux comportements résultant du fonctionnement hypothalamique, génétiquement programmé) communes à tous les hommes, car nécessaires à leur survie immédiate, le reste d'une personnalité humaine ne paraît pas *a priori* devoir beaucoup à des facteurs innés. Ce qui est inné, c'est la structure nerveuse de l'espèce *Homo* dans laquelle s'intériorise la niche environnementale, s'établissent les automatismes fonctionnels, les conflits inconscients entre pulsions, automatismes et l'imaginaire construit à partir de l'acquis mémorisé. L'importance que peuvent prendre, à partir de cet acquis, les variations innées vraisemblablement faibles, de la structure nerveuse dans la construction de la personnalité, il est actuellement impossible, sinon affectivement, d'en avoir une idée.

On a récemment été capable de faire naître une grenouille exactement et génétiquement semblable à celle qui fournit le noyau que l'on introduit à la place de celui qui se trouve dans un œuf de grenouille fécondé. Si pareille chose était un jour possible chez l'Homme, on serait peut-être alors capable de préciser ce qui revient au milieu puisque dans ce cas la matrice biologique serait la même. Le noyau emprunté à une cellule d'un homme de génie pourrait-il fournir dans un milieu social forcément différent le même génie ou du moins un homme aussi fondamentalement créateur ?

L'Imagination et la niche environnementale.

Avec l'Homme et les voies associatives de son lobe orbito-frontal une faculté se développe, celle de pouvoir associer les éléments antérieurement mémorisés, et de créer de nouvelles structures. Ainsi surgit *l'imagination*, la seule propriété réellement humaine.

Un enfant qui vient de naître ne peut rien imaginer parce qu'il n'a encore rien mémorisé et qu'il n'a donc aucun matériel à associer. En ce sens, est innée chez lui la possibilité d'imaginer, l'instrument pour le faire.

Mais l'imagination dépendra de deux facteurs : *le premier* est l'acquisition du matériel mémorisé, *le second* est la possibilité de ne pas laisser submerger le fonctionnement de son cortex associatif par celui des régions sous-jacentes, en d'autres termes, la possibilité de se dégager de ses automatismes, de ses jugements de valeur. On conçoit que ces deux conditions dépendent essentiellement de la *niche environnementale* dans laquelle l'individu va évoluer de sa naissance à sa mort, et plus spécialement de sa naissance à son adolescence car généralement à cette époque les jeux sont faits. *C'est en effet la niche environnementale qui sera intériorisée dans le système nerveux.* Il n'y a en nous que ce que les autres y ont mis, langage, expérience, connaissance. Plus le milieu sera riche d'événements, plus l'expérience le sera aussi, et plus le matériel à associer sera abondant, plus la matière à imaginer sera lourde. Mais la variété de l'acquis est aussi importante, et plus les sources d'informations sont différentes et nombreuses, plus les structures imaginaires ont de chances d'être originales et variées.

La niche environnementale interviendra aussi dans le rôle que jouera le second facteur. Si cette niche est une niche *éducative* et non *informative* seulement, elle créera des automatismes qui, n'étant plus ensuite connus consciemment comme tels, inhiberont le fonctionnement associatif des activités nerveuses liées aux faits mémorisés. C'est là le rôle stérilisant des jugements de valeur, des préjugés, des réflexes conditionnés, de la chose apprise et mémorisée sans jamais être remise en question.

Le rôle de la niche environnementale est ainsi considérable. S'il est évidemment difficile encore d'apprécier aujourd'hui la part de l'*inné* et de l'*acquis* dans les comportements humains, il semble pourtant possible d'en faire une approche cohérente. L'inné, ce qui est donné dès que les deux gamètes se sont réunies dans l'œuf fécondé, est une matrice biologique, une cire vierge, une page blanche sur laquelle va s'inscrire la niche environnementale. Or, cette matrice biologique comprend trop de caractéristiques (tous les gènes qui la constituent) pour être étudiée actuellement de façon suffisamment précise, comme on peut étudier, par exemple, la concentration du glucose sanguin ou du potassium, ou du cholestérol pour ne citer que ces valeurs. Mais tout porte à penser que, comme toute caractéristique biologique, elle

s'inscrit dans une courbe de Gauss (fig. 6), ce qui veut
dire que l'on pourrait isoler dans cette courbe une
moyenne (somme des mesures divisée par le nombre
d'observations), un mode (valeur de l'observation dont la
fréquence est maxima), une médiane (valeur de l'observation qui partage la série en deux nombres égaux de
sujets). Ainsi peut-on admettre que, en ce qui concerne
la structure innée du système nerveux, s'il existe aux
deux extrémités de la courbe des sujets peu nombreux
soit défavorisés génétiquement, soit au contraire favo-

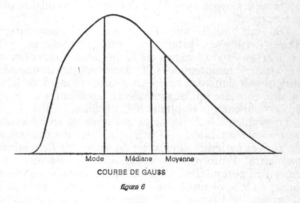

COURBE DE GAUSS

figure 6

risés, le plus grand nombre (le mode) part dans la vie
avec une structure biologique analogue à celle de son
voisin, analogue à celle de la majorité des hommes. La
différenciation se fera donc à partir de l'engrammation
du milieu. Comme chaque homme est situé en un point
de l'espace et du temps qui lui est particulier, chaque
matrice biologique engrammée sera unique, particulière,
mais fonctionnellement dépendante des caractéristiques
de l'environnement dans lequel elle va se développer.
Récemment Schmidt, Maciel et coll. (1971) ont étudié
le développement neuro-moteur de sept cent cinquante-
deux enfants appartenant à des familles de situation
économique et d'instruction différentes. L'analyse des
données montre que les aspects divers du développement
neuro-moteur dépendent du niveau socio-économique des

membres de la famille [1]. « Les enfants appartenant aux familles illettrées montrent un retard à s'asseoir, à marcher, à contrôler les sphincters (évacuation et miction) par rapport aux enfants des familles instruites, sans relation avec le revenu mensuel *per capita.* » Des problèmes familiaux furent observés dans les divers groupes sociaux économiques analysés en un total de 9,4 %. Or les enfants des familles où ces problèmes existent (divorce, etc.) ont montré un retard à soulever la tête, mais par contre contrôlent précocement leurs sphincters et mangent seuls plus tôt que les autres. On peut se demander si le manque d'intérêt qui leur a été porté ne les a pas stimulés à devenir indépendants plus précocement.

On sait aussi que l'apprentissage s'accompagne d'une synthèse protéique cérébrale accrue. Or Henderson (1970), mesurant le poids des cerveaux de 544 souris maintenues soit dans un environnement enrichi soit dans des environnements standard de laboratoire, constate une augmentation significative du poids du cerveau comme résultant de l'enrichissement [2].

Le problème difficile, celui qui nous paraît nécessiter toute notre attention, qui mériterait dès maintenant de longues et patientes études, est de savoir quelle méthode permettra d'informer sans éduquer, c'est-à-dire sans créer des automatismes. En d'autres termes, comment laisser au lobe orbito-frontal tout son potentiel associatif ? Comment le libérer de la domination inconsciente de l'hypothalamus, comme de l'apprentissage stéréotypé ? Comment motiver le petit de l'Homme à imaginer plutôt qu'à réciter ? Comment l'informer de l'expérience passée, dont la seule utile est celle qui se situe en dehors du temps, celle des lois scientifiques, en lui disant que même celle-là est susceptible d'être transformée ? Sur quelle motivation baser l'énorme effort nécessaire à l'acquisition des éléments indispensables à la création originale de nouvelles structures ? C'est là un problème sociologique

1. SCHMIDT B.J., MACIEL W., ROSENBERG S., BOSKOVITZ E.P. et CURY C.P. (1971), « Développement neuro-moteur chez l'enfant en fonction des différentes situations économiques, des degrés d'instruction et des problèmes familiaux », *Médecine et Hygiène 953 :* 350-351.

2. HENDERSON N.D. (1970), « Brain weight increases resulting from environmental enrichment : a directional dominance in mice », *Science 169,* 3947 : 776-778.

fondamental sur lequel nous reviendrons plus loin. La structure de la ville peut-être, la structure sociale sûrement, ont quelque chose à voir avec ce problème.

⁎

On comprend aussi qu'une attitude se limitant à l'observation d'un comportement sans en rechercher le mécanisme risque d'égarer l'observateur. Combien de comportements, dont l'utilité est indiscutable pour le groupe social, se trouvent ainsi valorisés par un jugement qui ne correspond nullement au mécanisme mis en jeu dans le système nerveux, à la hiérarchie dans l'évolution des espèces de la région cérébrale qu'ils impliquent. L'agressivité hypothalamique, suivant qu'elle est utile ou nuisible au groupe social, fera des gangsters ou des héros, et souvent les deux à la suite. Mais pour être sûr d'avoir affaire à des héros en cas de besoin, le groupe social dès l'enfance créera des automatismes à partir de jugements de valeur, dont la valeur varie et ne dépend que du groupe social qui les formule. Dès l'enfance, une certaine notion du courage et de l'honneur, de la virilité, par exemple, sera imposée aux petits des hommes de telle façon qu'ils n'aient plus ensuite à remettre en cause leur comportement dans un cas donné. « Défends-toi si tu es un homme !... » Ils n'auront plus à utiliser ce qui fait réellement d'eux des hommes, la partie antérieure de leur lobe orbito-frontal, ils se comporteront comme de vieux mammifères en utilisant l'apprentissage engrammé dans leur système limbique, et comme des reptiles avec l'agressivité innée résultant du fonctionnement de leur hypothalamus.

Et cependant il est vrai aussi qu'un comportement qui, pour l'observateur, est parfois identique au précédent mais peut être aussi très différent, résulte du contrôle par le néocortex de la pulsion primitive comme de l'automatisme acquis. Mais c'est rarement de l'extérieur que le mécanisme néocéphalique peut être apprécié. Quand le Christ à Gethsemani, dans la nuit de la Passion, s'écriait : « Mon père, s'il est possible, que cette coupe s'éloigne de moi ! », manquait-il de courage ?

Dès que le néocortex humain intervient dans un comportement, il est significatif que toute la terminologie habituelle, courage, volonté, raison, etc., n'a plus alors aucun sens. L'affectivité reste enfermée tout entière à l'étage du dessous. Dès lors rayonne l'esthétique qui pour nous est la science des structures dynamiques, jamais figées, la recherche jamais finie du plus grand ensemble. Mais cette utilisation du cortex humain, consciente des pulsions primitives et de leur contrôle par les automatismes acquis socio-culturels, est-elle si fréquente? Ne voit-on pas le plus souvent soit une pulsion soit un automatisme inconscients, élevés par le langage au rang d'acte volontaire et libre, guidé par une « éthique »?

Il en est de même de la notion de *décision*. Ayant récemment demandé, dans notre unité de valeur de Vincennes, à un groupe d'étudiants d'étudier cette notion, ce groupe a pris un exemple précis, historique, celui du déplacement des Halles à Rungis. Or, nous avons été incapables d'établir à quel moment la décision signée par le général de Gaulle, et apparemment inscrite au *Journal Officiel*, a été prise. Par contre, nous avons retrouvé dans une économie du marché les déterminismes implacables qui ont conduit à cette évolution inévitable.

Il nous paraît en effet *très dangereux de confondre, solutions originales imaginées (encore qu'elles soient rares) avec décision*, qui implique une liberté, un choix. Même si plusieurs solutions originales sont imaginées pour résoudre un problème, la décision d'emploi de l'une d'elles sera toujours le résultat de déterminismes, de motivations qui, très généralement inconscientes, feront croire au libre arbitre. Enfin, le plus souvent, il n'y aura même pas de situation imaginée, et la prétendue décision ne fera que se soumettre à des processus obligatoires qui, insuffisamment conscients et analysés, feront encore croire à un choix qui n'existe sans doute jamais.

LA NOTION DE BESOIN ET DE PROPRIÉTÉ INDIVIDUELLE.

Une autre notion peut être abordée en parlant de l'individu que nous retrouverons en parlant des groupes sociaux. On y fait aujourd'hui fréquemment référence et, bien que notre ami le Dr Bize ait créé une société de « chréologie », la science des besoins aborde ce sujet bien souvent comme découlant d'une donnée immédiate de la conscience, comme quelque chose d'évident. La notion de besoin n'est pourtant pas évidente. Nous avons défini ailleurs [1] le besoin comme « la quantité d'énergie et d'information nécessaire au maintien d'une structure ». Pour un organisme vivant, l'apport en substrats alimentaires est nécessaire au maintien de sa structure. C'est grâce à eux que l'information qui le caractérise ne se perdra pas, ce qui le ferait évoluer vers la mort. Bien plus, en ce qui concerne le système nerveux, la conservation de l'information mémorisée par l'apprentissage est également un besoin nécessaire à la survie. Par contre, l'accroissement du capital informationnel, ce qui est plus que l'entretien d'un réflexe conditionné par l'apport de la même information (le renforcement), mais bien l'acquisition d'une expérience nouvelle, n'est pas un besoin si le milieu est assez stable pour que le nouvel apprentissage ne soit pas exigé par la survie. Il est même évident qu'un tel accroissement du capital informationnel est un facteur d'évolution, autrement dit de la transformation de la structure.

Ce que nous savons déjà de l'organisation nerveuse nous permet de comprendre que certains besoins seront donc liés au cerveau reptilien le plus primitif. Ils répondent à l'assouvissement des instincts. D'autres seront liés aux automatismes, au fonctionnement du cerveau des vieux mammifères. Ils répondront le plus souvent à ce que la société, nos rapports avec la niche environnementale, nous ont fait connaître, et dans ce cas nous n'aurons besoin que de ce que nous connaissons ou, du moins et plus précisément, de ce que l'on nous a fait connaître. Nous n'avons nul besoin en effet de ce que nous ignorons. C'est là le rôle de la publicité, par exemple, qui a pour but de nous faire connaître les objets afin de nous les faire désirer, de créer un besoin. C'est pourquoi nous retrouverons la notion de besoin du point de vue sociologique, et nous verrons alors comment les sociétés utilisent au mieux de leur survie, en les satisfaisant ou en les réprimant, nos besoins instinctifs, et comment elles en suscitent d'autres par le contrôle de l'information.

Mais il est dès maintenant important de noter que le besoin est intimement lié à la notion de propriété. La

1. H. LABORIT (1970), *L'Homme imaginant*, p. 49, Union générale d'éditions, coll. 10/18.

notion de territoire, la propriété de l'« os » est très profondément enfoncée dans notre cerveau reptilien. On peut s'étonner que l'Homme, qui veut se croire différent des autres animaux, fasse appel à sa ressemblance avec eux en parlant de la légitimité « naturelle » de la propriété. Pour défendre par le langage nos désirs et nos pulsions les plus primitifs nous utilisons, suivant les circonstances, des arguments pour une prétendue « nature » ou contre elle, suivant que l'éthique, la morale ou la loi ont besoin que l'argument satisfasse, fournisse un alibi, une justification ou non à ces pulsions. Si nous devons décidément nous distinguer des autres espèces animales, on ne voit pas pourquoi, ayant pris connaissance de la trivialité, de « l'animalité » du concept de propriété, nous n'essaierions pas de nous en débarrasser, même si les sociétés actuelles ne sont pas d'accord. Ayant pris conscience de l'aliénation de notre comportement à un déterminisme biologique primitif, à une pression de sélection, ne serait-il pas temps d'essayer de nous en dégager ?

Il est certain que la notion de territoire est liée au besoin d'assurer sa nourriture. La stratégie instinctive a réuni dès l'origine, au niveau des centres hypothalamiques, la régulation de la faim, de la soif et l'agressivité telle que nous l'avons définie. Agressivité qui, par la lutte au sein du territoire et la fuite en dehors de lui, assurera l'approvisionnement en nourriture, c'est-à-dire la satisfaction du besoin en substrats énergétiques. Territoire nécessaire aussi à la reproduction et l'apprentissage immédiat des petits, tous phénomènes hypothalamiques nécessaires à la survie immédiate. La notion de propriété possède sans doute chez l'Homme les mêmes mécanismes fondamentaux, met en jeu les mêmes centres nerveux les plus instinctifs, à moins que les automatismes acquis n'ayant jamais permis qu'un besoin se fasse sentir, ce qui est rare avouons-le, le désir étant aussitôt comblé, puisse inhiber cette pulsion. C'est imaginable mais sans doute rarement rencontré. L'appropriation dans la crainte de manquer le lendemain est certainement une motivation fondamentale.

En ce sens, dès lors que les besoins fondamentaux peuvent être comblés la notion de propriété devrait être moins envahissante. Devrait être, car l'instinct de domination, la possession de la femelle, la recherche du pouvoir sous ses formes humaines les plus travesties, débouchent aussi sur la notion de propriété. A tel point que cela revient à dire que cette dernière est directement issue de l'instinct sexuel. L'autre sexe est la première possession humaine, et les autres en découlent toutes, celle du sol, celle de l'espace bâti, celle des objets, celle des moyens d'échange.

Un autre aspect tout aussi important nous paraît être le suivant : notre structure biologique innée est la résultante d'innombrables déterminismes génétiques qui se sont entrelacés depuis les origines de la vie. Peut-on dire que cette structure biologique, bien qu'unique, nous soit personnelle, que nous en soyons « propriétaires » ? D'autre part, abandonnée hors d'un environnement social, à elle seule elle ne fera jamais un *homo sapiens*. L'essentiel de notre personnalité nous vient donc de notre niche environnementale intériorisée dans le fonctionnement de notre système nerveux. Est-ce que le seul fait qu'une chose ait été en contact avec nos effecteurs sensoriels suffit pour dire qu'elle nous appartient ? Le monde existerait-il pour nous en dehors de l'activité de notre système nerveux ?

Dès lors, dans cette activité, où commence la notion de propriété ? Qui ne voit que nous n'existons en tant qu'homme qu'à travers le langage, et que celui-ci est l'intégration de l'expérience de tous les hommes qui nous ont précédés ? Le langage nous appartient-il du seul fait que chacun de nous en possède une expérience unique ? En d'autres termes, où commence, dans l'ensemble des relations entre notre système nerveux et l'environnement, le sous-ensemble qui nous appartient ? Si l'invention de la télévision ne nous appartient pas, pourquoi l'appareil de télévision nous appartiendrait-il ? Le déterminisme social aveugle de notre naissance, qui nous fait naître dans un milieu bourgeois du XVIe arrondissement ou dans un bidonville de Nanterre, est-il suffisant à nous faire considérer que nous sommes propriétaires de cette niche environnementale ou d'une partie de cette niche ? Et qu'on ne nous parle pas non plus du « mérite » de s'élever à la propriété, mérite qui revient essentiellement aux facultés agressives de notre cerveau reptilien, à notre hypothalamus primitif favorisé par l'environnement social où nous sommes nés et par les automatismes, les jugements de valeur dont ce dernier a engrammé notre système limbique.

Sur le plan biologique individuel et non pas encore

social où nous la retrouverons tout à l'heure, la notion
de propriété ne paraît donc pas avoir de fondement
solide. En effet, supposons même que nous puissions
dire que nous sommes propriétaires de notre matrice
biologique (et non de ce que notre niche environnementale y a engrammé, qui ne dépend évidemment pas
d'elle), si nous supposons que cette matrice biologique a
« besoin » de substrats alimentaires pour maintenir sa
structure, ces substrats sont en définitive de l'énergie
solaire transformée, nous l'avons dit. Or, le soleil paraît
bien être à tout le monde.

Mais si tous les besoins de l'Homme, comme sa structure biologique elle-même, se résument en réalité en
énergie solaire, il s'agit d'énergie solaire transformée.
Et cette transformation est bien souvent le résultat du
travail humain, de l'action de l'Homme sur son milieu.
Quand l'environnement assure sans travail la satisfaction
des besoins, comme c'est le cas encore pour certaines
peuplades et comme ce le fut sans doute pour les clans
primitifs, la notion de propriété est vraisemblablement
très restreinte. C'est le résultat de son travail que l'individu a sans doute tendance à s'attribuer, dès l'origine,
comme lui étant personnel. Or, dès l'aurore de l'urbanisation, dès le début de la spécialisation du travail, le
troc a vraisemblablement facilité la naissance de la
notion de propriété, qui prit son plein développement
avec l'apparition des premières monnaies. Nous retrouverons ces idées en abordant la sociologie urbaine.

La seule propriété qui puisse peut-être se discuter c'est
celle des idées neuves. Encore qu'elles ne peuvent exister
en dehors du milieu qui les suscite bien sûr, et qu'on
imagine mal Einstein naissant au Biafra au XVe siècle,
mais du moins n'existaient-elles pas dans l'environnement avant que l'individu ne les exprime. Sans doute
sont-elles aussi le résultat de l'association d'éléments
extraits de l'environnement culturel et transmis par un
langage, qui ne nous appartiennent ni l'un ni l'autre. Mais
du moins cette association est-elle originale et personnelle,
autant que l'individu ou la personne sont une réalité, ce
qui n'est pas évident. Mais dès que l'idée se matérialise,
qu'elle pénètre l'espace et le temps, ne nous échappe-t-elle
pas pour entrer dans la consommation, où la propriété
ne nous paraît plus avoir de place raisonnable, alors
qu'elle domine encore le comportement de l'Homme
contemporain ?

L'AGRESSIVITÉ HUMAINE OU AFFECTIVE [1].

Depuis 1950 environ, le comportement animal observé directement dans l'habitat naturel a fait l'objet de nombreuses recherches réunies dans une nouvelle discipline dénommée par ses adeptes : éthologie. On a été tenté de plus en plus, en effet, de rechercher la source du comportement humain dans celui des animaux, et donc de mieux étudier celui-ci pour mieux connaître et comprendre celui-là.

Un point, je pense, doit être immédiatement précisé. Le schéma neuro-physiologique que nous avons brossé de ce qui sert de base fonctionnelle à nos comportements, permet sans doute de comprendre pourquoi si l'étude objective de ceux-ci est indispensable elle n'est certainement pas suffisante, car un même comportement, nous l'avons vu, met en jeu des mécanismes neurophysiologiques différents. Le rôle des mécanismes innés, instinctifs, et celui des automatismes acquis par apprentissage, par exemple, peuvent difficilement être précisés en l'absence de l'expérimentation neuro-physiologique d'une part, neuro-biochimique d'autre part. Encore n'avons-nous pas abordé cette dernière ici, l'ayant fait ailleurs [2]. La façon la plus efficace de conduire l'expérimentation est de provoquer ou de supprimer dans différentes espèces animales et chez l'Homme, soit par stimulation électrique de certaines aires cérébrales, soit par l'emploi de certains agents chimiques dont on connaît de mieux en mieux les sites et les mécanismes biochimiques et cellulaires d'action, un comportement particulier retrouvé dans ces différentes espèces. Ce n'est qu'alors qu'il sera permis de supposer qu'il s'agit bien d'un processus analogue, et que l'on pourra se permettre d'inférer prudemment de l'animal à l'Homme.

Ceci étant posé, quelles sont les principales idées exprimées à la suite de l'étude du comportement animal depuis quelques années, et largement diffusées dans le

1. H. LABORIT (1965), « L'automobiliste du néanderthal », *La Presse médicale*, 73-16 : 927-929.
2. H. LABORIT, *L'agressivité détournée*, 1 vol., coll. 10/18, Union générale d'éditions, 1970.

grand public par des œuvres admirables comme celles de Konrad Lorenz [1] ou de Robert Ardrey [2] ?

Ces deux auteurs pensent que l'agressivité existant chez tous les animaux inférieurs, nous en avons nous-mêmes hérité de façon inexorable. Ainsi, pour eux, la guerre serait le résultat de contraintes instinctives, un caractère inné, inscrit dans nos gènes. Lorenz écrit : « Pour tout savant, pour tout spécialiste de biologie, il ne peut y avoir de doute : chez l'homme, l'agression intra-spécifique est le résultat d'une pulsion instinctive tout aussi spontanée que chez la plupart des vertébrés supérieurs. »

Il est bon de noter que le terme de tout « spécialiste de biologie » est un terme bien vague qui s'adresse aussi bien au spécialiste de telle réaction enzymatique particulière, ou de tel chapitre de la physiologie organique, par exemple, et que ce spécialiste n'est pas pour autant autorisé, bien que biologiste, à décider d'un problème du comportement animal. Dans le même sens, il n'est pas certain qu'un spécialiste du comportement animal, fort peu instruit des innombrables travaux qui s'effectuent journellement dans le monde sur les problèmes de neurochimie, de neurophysiologie, d'enzymologie, de métabolisme animaux *et humains*, puisse tirer des conséquences définitives à l'échelle humaine de ses études sur les comportements.

Du moins nous paraît-il essentiel de tenter dès aujourd'hui la synthèse de ces différents travaux dans des disciplines variées pour essayer d'y voir un peu plus clair. C'est ainsi que le travail des précédents auteurs nous paraît indispensable, mais que celui d'un McLean (1964), par exemple [3][4][5], d'un Delgado que nous rapporterons plus loin, bien que bénéficiant d'une diffusion beaucoup plus intime du fait même de leur expression scientifique

1. Konrad LORENZ (1969), *L'agression*, N.B.S., Flammarion éd., Paris.

2. Robert ARDREY (1967), *Le territoire*, Stock, Paris.

3. McLEAN P.D. (1966), « Brain and vision in the evolution of emotional and sexual behavior », Thomas William Salmon, Lecture, New York, Acad. Méd.

4. McLEAN P.D. (1964), « Man and his animal brain », Mod. Med. *32* : 95-106.

5. McLEAN P.D. (1952), « Some psychiatric implications of physiological studies in fronto-temporal portion of limbic system », Electroencephal. Clin. Neurophysiol. *4* : 407-418.

moins vulgarisable, nous paraissent tout aussi importants.
Que dire enfin de l'apport étonnant de toute la neuropsychopharmacologie depuis une vingtaine d'années ?

Donc, pour K. Lorenz, l'agressivité humaine serait
inévitable, car d'origine génétique. Or, nous avons déjà
longuement insisté sur l'erreur qu'il y a à confondre
l'agressivité animale avec l'agressivité humaine en se
basant sur l'étude unique des comportements. Nous avons
convenu que si nous conservions le terme d'agressivité
pour un comportement résultant du fonctionnement du
cerveau reptilien commun à toutes les espèces animales
et à l'Homme, il n'y avait *dans ce terme aucune affectivité
surajoutée,* aucune pulsion malveillante en dehors de la
recherche pure et simple de la nourriture. On ne doit en
comprendre ni haine, ni colère, ni jugement de valeur
éthique, mais simple succession : perturbation homéosta-
sique résultant de l'éloignement du dernier repas
(hypoglycémie) → stimulation hypothalamique et sensation de faim → recherche de nourriture (par exemple).
Cette opinion est d'ailleurs corroborée même sur le seul
plan comportemental par d'autres éthologistes comme
Sally Carrighar [1] qui note que « l'on ne constate pas non
plus de véritable agression, pas de malveillance entre les
membres de différentes espèces qui vont chacune leur
chemin sur le territoire sauvage qu'elles partagent.
Sur une piste utilisée par de nombreux animaux, près
d'un point d'eau ou d'un affleurement salé, les plus
faibles et les plus petits attendent leur tour, laissant les
plus forts passer les premiers sans discussion ». Pour le
même auteur, les querelles les plus fréquentes intra-
spécifiques se font à propos des frontières territoriales et
à l'époque du rut. Ce sont alors les « territoires » où
résident les femelles, et l'attitude agressive est liée aux
besoins de la reproduction. Bien plus, ce comportement
n'est pas universel et de nombreux animaux vivent en
colonies, même en dehors des primates qui vivent en
groupes sociaux fortement hiérarchisés.

Cet auteur reproche à Lorenz « d'avoir effectué la
plupart de ses recherches sur des animaux apprivoisés,
par exemple sur des oies astreintes, par un système de
clôture et par la nourriture qu'elles reçoivent, à vivre
dans un environnement humain, ou encore sur des

1. Sally Carrighar (1971), *La guerre n'est pas dans nos
gènes*, Dialogue 2, 1 : 23-34.

poissons cichlidés retenus captifs en aquarium. Chaque
fois que des êtres vivants sont ainsi confinés, leur agressivité s'accroît considérablement ». Cette dernière notion
est bien connue de tous les neuropsychopharmacologistes
qui savent que la teneur en neuromodulateurs chimiques
du métabolisme neuronal, plus ou moins spécifiques
de certaines aires cérébrales varie avec l'encombrement
des cages ou l'isolement des animaux, de même que
l'excitabilité de ces aires cérébrales et le comportement
endocrino-végétatif qu'elles commandent. Nous en avons
cité des exemples ailleurs [1]. Ainsi, pour S. Carrighar
qui a étudié de longues années le comportement animal
en milieu sauvage, l'animal qui défend son territoire ne
peut être considéré comme agressif. Seul pourrait être
considéré comme tel, l'animal envahisseur. Mais celui-là
est en réalité exceptionnel. « Chez les loups, il peut arriver
que l'individu pénétrant sur le territoire d'une famille soit
simplement à la recherche de compagnie (un loup soli-
taire est généralement un orphelin). Dans ce cas, la
plupart des observateurs s'accordent à reconnaître qu'il
n'est pas attaqué. Il est seulement menacé et il se
détourne, sans être escorté jusqu'à la frontière. » « Nos
ancêtres directs, les primates, semblent avoir atteint une
sorte de sommet dans l'absence d'agressivité. Eux non
plus ne combattent pas, que ce soit à titre individuel
ou entre clans. »

En conclusion, S. Carrighar aboutit à une opinion
identique à celle que nous avons exprimée dans *L'agressivité détournée*, et que renfermait le titre lui-même :
*L'agressivité ne s'est teintée d'affectivité chez l'Homme et
n'a pris le sens commun qui lui est aujourd'hui attribué
que du fait de* L'URBANISATION, *c'est-à-dire du confine-
ment.* Celui-ci, en effet, interdit le comportement
d'évitement mutuel très généralement répandu entre
les individus d'une même espèce animale lorsqu'une
cause possible de conflit surgit. En d'autres termes,
nous dirons que le fonctionnement du cerveau reptilien,
de l'hypothalamus, qui gouverne le comportement
instinctif assurant l'approvisionnement en nourriture, ne
s'est *détourné* chez l'Homme vers un comportement
agressif envers ses semblables que parce que justement
la recherche de la nourriture n'était plus, grâce à l'urba-

1. H. LABORIT (1970), *L'agressivité détournée*, 1 vol., coll.
10/18, Union générale d'éditions.

nisation, un problème vital, et que l'approvisionnement et la protection de l'individu contre l'environnement hostile étaient généralement assurés. Pulsion inconsciente de sa finalité primordiale, c'est par erreur qu'on l'invoque encore pour se trouver un alibi dans la « nature » alors que l'Homme est par ailleurs si orgueilleux de sa domination sur cette dernière.

Il existe pourtant dans notre cerveau primitif un fonctionnement dont la finalité demeure inchangée, un fonctionnement dont les espèces animales s'accommodent fort bien en acceptant la hiérarchie qu'il institue, c'est celle de l'agressivité liée au comportement sexuel. Les interrelations entre les sécrétions des glandes endocrines libérant les hormones sexuelles, l'action de celles-ci sur l'hippocampe et l'hypothalamus sont nécessaires aux différents actes assurant le maintien et la propagation de l'espèce. Freud et ses disciples ont longuement insisté sur le rôle fondamental de cette pulsion inconsciente dans le comportement humain. La proximité de la localisation hypothalamique des centres qui régissent la faim, la soif, l'agressivité (instinctivement) et l'accouplement montre bien qu'il s'agit de fonctions fondamentales. Mais si l'agressivité résultant de la recherche de la nourriture a été « détournée » de sa finalité primitive du fait des transformations profondes survenues dans l'organisation socio-économique des groupes humains, celle résultant du désir de domination des femelles est restée la même que ce qu'elle a pu être à l'origine des espèces, et qu'elle est encore dans le règne animal.

Nous reprendrons ce problème au point où nous le laissons ici, lorsque nous étudierons l'individu social. Il nous paraît être un des aspects essentiels de ce que l'on peut appeler la sociologie urbaine.

L'HOMME SOCIAL

RACCOURCI DE SON ÉVOLUTION HISTORIQUE.

Parler d'Homme social est évidemment un pléonasme, car on ne peut imaginer que, sans rapports, jamais, avec ses semblables, rapports directs ou indirects, l'ensemble organique, la matrice biologique humaine, puisse devenir ce qu'il est convenu d'appeler un homme. Sans langage, sans industrie (au sens large), cette matrice serait-elle jamais capable de redécouvrir, durant sa courte vie, tout ce que l'humanité a accumulé d'expériences depuis sans doute plus d'un million d'années ? Serait-elle même capable d'atteindre le stade auquel sont parvenus les grands anthropoïdes qui, eux, vivent en société et peuvent transmettre, par le geste, l'expérience de leur génération, dans des conditions environnementales assez stéréotypées ?

Étudier l'Homme social, c'est envisager à travers l'Histoire les rapports de l'individu biologique avec son environnement. De nombreux auteurs en ont retracé les origines.

L'Homme fut au début, comme les autres espèces, entièrement préoccupé par sa survie immédiate, son approvisionnement en nourriture. Au paléolithique, il assurait celle-ci par la chasse, la pêche et la cueillette. Il n'était pas fixé au sol, et sa seule industrie était la confection des armes rudimentaires qui lui permettaient de chasser et de se défendre des bêtes sauvages. En conséquence, aucune réserve alimentaire n'étant encore possible du fait que la conservation de la viande par le sel n'avait pas encore été découverte, tout son temps se passait à rechercher sa nourriture journalière.

La horde qui vivait ainsi sur une étendue assez grande du territoire était sans doute assez peu nombreuse (la surpopulation n'étant pas encore un problème posé à l'Humanité) pour ne pas entrer en compétition avec d'autres. Le nomadisme nécessaire ne devait pas interdire cependant le retour sur des terrains de chasse, de pêche ou de cueillette particulièrement fructueux sans que le village soit encore apparu. Si l'on admet que les débuts de l'Humanité remontent à environ un million d'années, c'est dans une crainte constante du lendemain et dans une recherche au jour le jour de son alimentation qu'elle a vécu pendant 990 000 ans. Chaque homme était vraiment responsable de son destin et devait connaître tout ce qu'il est nécessaire de faire pour assurer sa survie. Il ne possédait rien en dehors de ses armes, armes si primitives qu'elles ne constituaient même pas une propriété. Les rapports avec les autres membres de la horde, puis du clan ou de la tribu étaient dominés par une union tacite contre un environnement hostile. Se nourrir était une besogne suffisamment accaparante pour ne pas penser à combattre et pour ne pas avoir le temps de faire la guerre entre tribus. L'Homme était rare, l'espace était large. En cas de compétition pour un territoire ou une femme, la fuite était possible. « L'évitement mutuel » permettait d'ignorer ou de résoudre les heurts. Ce désistement du vaincu existe encore dans les peuplades primitives qui persistent de nos jours, comme il l'est dans toutes les espèces animales. Il n'est évidemment plus possible dans nos cités où l'interdépendance des individus est si étroite qu'aucun d'entre nous ne pourrait subvenir seul à ses besoins les plus fondamentaux.

L'absence de spécialisation est ainsi la caractéristique vraisemblablement essentielle de l'Homme primitif. En prise directe avec l'environnement qui lui procure sa nourriture, le groupe social primitif ne constitue encore qu'un rassemblement d'individus aux mêmes fonctions, unis par des liens génétiques, en familles, tribus, etc., et luttant pour leur existence immédiate.

Le système nerveux de l'homme du paléolithique est alors parfaitement adapté à sa survie. Son *hypothalamus* instinctif lui fournit ses motivations fondamentales : faim, soif, agressivité essentielle pour la recherche de la nourriture et la défense contre les bêtes sauvages et les intempéries, accouplement, protection des jeunes. Son *système limbique* lui permet de mémoriser les expériences passées, lui permet un apprentissage. Il colore ses pulsions d'affectivité fruste, amour, joie, et surtout peur, anxiété, angoisse en face de l'événement inconnu dont il n'a pas fait encore l'expérience agréable ou désagréable. Son cortex *orbito-frontal* lui permet d'imaginer à l'avance une situation possible, la confection d'outils et d'armes de plus en plus efficaces. Le langage enfin lui permet de transmettre de générations en générations l'expérience acquise. Mais son imagination lui permet aussi d'accroître son angoisse, d'imaginer ce qui n'existe pas et d'inventer, pour expliquer ce qu'il ne peut expliquer par une causalité primitive, toute une mythologie de forces obscures, bienfaisantes ou hostiles. Son champ de conscience étant perpétuellement envahi par la mise en œuvre des moyens assurant sa survie immédiate, ses vieux cerveaux lui sont certes plus immédiatement utiles que son cortex frontal — ou du moins a-t-il plus souvent à les utiliser. C'est sans doute la raison pour laquelle des millénaires s'écouleront sans que des transformations profondes de sa vie ne surviennent.

Quelques années à peine se sont écoulées entre l'utilisation industrielle de la vapeur et le premier débarquement humain sur la lune, alors que des centaines de milliers d'années ont passé entre la découverte du feu et celle de l'agriculture.

*_**

Avant le village, l'abri, la grotte ont servi de points de ralliement aux premiers hommes. Mumford [1] accorde au culte des morts une place également importante dans les facteurs de fixation au sol. « Nous trouvons ainsi, dans le centre rituel où convergent les pèlerinages, le germe embryonnaire de la cité : un site qui attire périodiquement le clan ou la tribu, car, en plus des avantages naturels, certaines influences spirituelles en émanent, qui confèrent une force, une durée, une signification cosmique aux événements de la vie quotidienne. » Il n'est peut-être pas certain que l'homme paléolithique ait eu un sens du « cosmique » (lequel?), mais que sa niche environnementale peuple son système nerveux, enrichisse sa mémoire, et que la mort d'un être, vivant à côté de lui dans cette niche, lui pose des problèmes représentatifs et imaginatifs que les autres espèces insuffisamment corticalisées ignorent, il est facile de l'admettre. La création des premiers mythes ne demandait pas d'autre motivation que cette niche spatio-temporelle qui l'entoure désespérément vide encore, pour lui, des relations de causalité les plus évidentes. Il cherche à combler ce vide par une interprétation, mythique aussi, de ce qu'il ne peut expliquer, car son cerveau imaginant le lui permet, et le contrôle expérimental n'existe pas encore, ni l'étude statistique des résultats.

Mais les premiers villages n'ont pris naissance qu'avec l'apparition des premiers défrichements agraires et des premiers rudiments de l'élevage d'animaux domestiques. Cette occupation primitive des sols ne s'est faite que lentement. Le nomadisme et la sédentarité ont dû vivre côte à côte pendant des millénaires. Il y a à cela bien des raisons. La première est que l'agriculture fut sans doute au début relativement peu rentable. La fertilité des sols est passagère si l'on ignore la jachère, les engrais, l'irrigation.

1. Lewis MUMFORD, 1961 (traduction française, 1964), *La cité à travers l'Histoire*, 1 vol., Éditions du Seuil.

L'emploi de l'irrigation surtout autorisa pour la première fois les groupes humains à réaliser un surplus permanent de nourriture, indispensable à la fixation définitive au sol, puisqu'il permet d'attendre la récolte après les semailles, c'est-à-dire pendant un laps de temps variable. Il en est de même d'ailleurs pour l'élevage. C'est ce que fit la *révolution néolithique*.

En créant un surproduit, elle permit d'attendre la récolte suivante, et fut à l'origine également de l'artisanat professionnel. On peut imaginer que, pendant les saisons creuses où il ne restait plus qu'à attendre que la terre se charge du développement du grain, les hommes désœuvrés ont développé la création de nouveaux instruments de travail et leur perfectionnement. Plusieurs auteurs admettent que le début de l'agriculture doit beaucoup à la femme et coïncide sans doute avec l'épanouissement du matriarcat. Ce seraient les femmes qui auraient, les premières, pensé à semer les graines des fruits.

Mais au stade du village primitif, aucun artisan ne vit complètement de son propre métier sans doute. L'artisan n'apparaît que lorsque l'agriculture lui laisse quelque répit. Ce n'est qu'à mesure que les techniques se développent et augmentent d'efficacité que les premières spécialisations apparaissent, la production de nourriture étant alors largement suffisante à nourrir ceux qui n'en produisent pas directement, mais dont le rôle n'est pas moins important dans l'économie de la communauté.

A partir du moment où des réserves suffisantes peuvent être engrangées et, en conséquence, qu'une spécialisation artisanale peut naître, les facteurs principaux qui devaient faire naître la cité sont réunis. « Cette symbiose d'hommes, d'animaux et de plantes devait tendre vers la forme urbaine de la période postérieure » (L. Mumford). Les excréments qui s'amoncelaient aux abords du village serviront d'engrais. Nous retrouvons ici un phénomène analogue à celui que nous avons déjà décrit en étudiant l'évolution. L'Homme paléolithique ne s'est pas « muté » en homme du néolithique. C'est par la création d'un nouvel écosystème, par l'association avec des formes de vie spontanées et sauvages, animaux et plantes qu'il a domestiqués, que l'Homme s'est spécialisé et urbanisé. Des rapports nouveaux de l'Homme avec sa niche environnementale, elle-même transformée, la civilisation urbaine est née. La découverte des métaux, vers le sixième millénaire avant notre ère, permit enfin un accroissement considérable de l'efficacité des outils.

La création de surplus, de formes différentes, a créé les conditions *des échanges*. Bientôt, si chaque village ou chaque tribu subvient toujours presque entièrement à ses besoins fondamentaux, aucun d'eux ne peut entièrement se passer de ce que les autres groupes humains qui l'entourent sont capables de produire de différent de sa propre production.

D'ailleurs, nous avons signalé que le temps de l'Homme primitif était entièrement occupé par la satisfaction de ses besoins les plus élémentaires, son alimentation surtout. Par contre, l'artisan n'est plus capable d'assurer à lui seul ses besoins fondamentaux. Il échange le produit spécialisé de son travail contre les produits, alimentaires ou autres, qui résultent du travail des autres éléments de la communauté. Une dépendance de plus en plus étroite de l'individu par rapport à l'ensemble social est apparue. Un nouvel organisme est né de la spécialisation au cours de la révolution néolithique : *l'organisme social*.

A partir de là, des problèmes seront rapidement posés par le système des « échanges généralisés » (E. Mandel). « Une multitude de produits les plus divers sont maintenant échangés contre une multitude d'autres produits. » D'où la nécessité d'un équivalent général et l'apparition de la monnaie [1].

Un phénomène important est cependant souligné par L. Mumford et sur lequel nous devons nous arrêter un instant. Il concerne la destinée du chasseur paléolithique à mesure que s'installe la sédentarisation. Il dut sans doute s'écarter des territoires cultivés, dit L. Mumford. Il semble, d'après cet auteur, que des campements fortifiés de chasseurs primitifs aient été découverts en Palestine. Pour lui, grâce à leur habileté dans le maniement des armes et la chasse au gibier, ils étaient à même «mieux que quiconque de protéger le village contre les seuls ennemis qui en ce temps menaçaient le village : des bêtes fauves, tels que les lions, les tigres, les caïmans, les loups ». Le chasseur connaissait la manière de les combattre, alors que le cultivateur n'avait ni armes, ni sans doute le courage nécessaire pour les affronter.

1. E. MANDEL (1962), *Traité d'économie marxiste*, t. I, coll. 10/18, Union générale d'éditions.

Des siècles d'une existence tranquille avaient fait des villageois des êtres patients et sans hardiesse (L. Mumford).

C'est ainsi que le héros, chasseur et guerrier, va devenir le protecteur de la cité et, par la suite, le roi guerrier qui se fera payer ses services chèrement. « Les villageois craintifs ont dû s'incliner devant les exigences de leurs protecteurs, lorsqu'ils ne semblaient pas avoir les dents plus longues que celles des carnassiers dont ils s'engageaient à protéger la communauté. Tout naturellement le chasseur devenait un chef politique, et cette évolution devait plus tard lui permettre de s'emparer du pouvoir » (L. Mumford). Il est à noter que cette évolution est encore cohérente avec celle du système nerveux à un niveau d'organisation supplémentaire. Au sein du nouvel organisme social, l'hypothalamus agressif est alors représenté par le chasseur, puisque, du fait du développement de l'agriculture, l'agressivité instinctive pourvoyeuse de nourriture n'avait plus sa raison d'être. Le paysan et bientôt l'artisan sont par contre à la pointe de l'évolution de l'organisme social qui se crée. Ils sont analogues au système limbique, au cerveau des vieux mammifères, capable d'apprentissage et de mémoire, et c'est encore par la symbiose de ces deux fonctions, instinctive et d'apprentissage, que va naître la société nouvelle. Celle-ci survivra jusqu'à une époque récente puisque les rôles n'avaient point encore été bouleversés au Moyen Age avec le seigneur, guerrier et protecteur, et le paysan qui assure l'alimentation de l'ensemble. Et même de nos jours, ce type de société primitive survit bien souvent, puisque le pouvoir est encore fréquemment détenu, accaparé par des militaires et non par des hommes mieux doués, mieux informés ou plus créateurs. Et ne peut-on aller plus loin encore et penser que le pouvoir, sous quelque forme qu'il se manifeste, appartient encore et partout aux plus agressifs, aux plus dominateurs ?

J'ai souvent cité l'expérience de Delgado [1] sur les

---

1. DELGADO J.M.R. (1967), « Agression and defense under cerebral radio-control, in Aggression and defense. Mental mechanisms and social patterns (Brain function, vol. 5). Proceedings of the fifth conference on brain function », 14-17 novembre 1965, Los Angeles, Calif. University of Calif. Press. Berkeley and Los Angeles Calif. UCLA (Univ. Calif. Los Angeles) Forum Med Sci. 7 : 171-193.

chimpanzés, avec électrodes cérébrales implantées, et
observés en liberté. Ces animaux constituent des sociétés
avec un chef qui est toujours, tant du point de vue
comportemental qu'électroencéphalographique, le plus
agressif. La stimulation de son noyau caudé inhibe
les centres responsables de cette agressivité, et le fait
immédiatement rétrograder dans la hiérarchie. Alors que
la stimulation hypothalamique d'un singe «esclave», augmentant son agressivité, lui permet de prendre la place
du chef. On sait aussi que si on laisse à la disposition du
groupe des manettes permettant à chacun de ses éléments
de stimuler le noyau caudé des autres, chaque fois qu'un
leader devient trop encombrant ou dominateur, il est
rétrogradé par les autres éléments du groupe grâce à la
manipulation de la manette stimulant son noyau caudé.
On peut voir là les premiers rudiments d'un comportement politique, duquel il serait désirable que l'Homme
puisse s'inspirer.

Il faut simplement reconnaître en toute humilité que
dans nos sociétés dites évoluées, la palme est toujours
fournie au cerveau reptilien, surtout s'il se pare d'un
cerveau des vieux mammifères, capable de bien mémoriser et de s'enrichir de nombreux automatismes, propriétés favorables à l'entrée dans les grandes écoles.
Si le chef-chasseur-agressif se servait de son néocortex humain, il abandonnerait le commandement
pour se dévouer à la science. C'est un autre pouvoir
qu'il rechercherait, celui de l'Homme sur l'univers
inconnu et non pas seulement sur ses contemporains,
encore que l'on puisse craindre qu'il ne cherche encore,
par cette voie difficile, à atteindre au second par le
truchement du premier. Mais avouons qu'il y aurait
déjà un progrès.

En résumé, l'évolution du paléo au néolithique s'est
bien faite encore, semble-t-il, sous l'aspect non d'une
mutation aléatoire, mais d'une symbiose. La symbiose
d'une forme nouvelle d'homme, l'agriculteur, avec la
forme ancienne, le chasseur, pour donner naissance, à
partir d'une forme de société tribale, où chaque élément
est polyvalent, non spécialisé, à une organisation sociale
hiérarchisée, où chaque élément devient plus inter-
dépendant des autres parce que plus spécialisé, les
premiers liens économiques et politiques devenant pour
la première fois plus importants et plus aliénants que
ceux du sang.

* *
*

A partir de la révolution néolithique, les événements vont s'accélérer, du fait que la constitution de réserves va éviter aux hommes de vivre au jour le jour, permettre leur spécialisation par l'économie du temps, et la possibilité de mieux utiliser leur cerveau imaginant pour la découverte des lois du monde physique qui les entoure.

Cependant, la production du travail humain n'est au début que celle des valeurs d'usage, et tout particulièrement de nourriture. Mais cette nourriture, même sous forme de céréales, est fragile et difficile à conserver. D'autre part, la diversité de cette production qui va grandissant exige de plus en plus l'emploi d'un équivalent commun. C'est ainsi qu'apparaît la monnaie, moyen de paiement universel. C'est elle qui, dès lors, sera stockée.

La circulation des marchandises consiste, comme l'indique E. Mandel [1], à vendre ses propres produits en surplus de la consommation personnelle pour acheter des produits dont on réalise personnellement la valeur d'usage, que l'on consomme soi-même.

La circulation de l'argent consiste au contraire à « acheter pour vendre, acheter des produits d'autrui pour les revendre avec profit, c'est-à-dire pour accroître d'une plus-value le capital argent qu'on possède ». A mesure que la technique du commerce s'améliorera, la plus-value des marchands augmentera car ils achèteront les marchandises en dessous de leur valeur réelle, et ils les revendront au-dessus de cette valeur, en particulier en s'adressant pour l'achat à des peuples peu développés et, pour la vente, à d'autres où l'absence de ces marchandises leur donne une rareté particulière.

Un autre type de plus-value va résulter de la production des marchandises. En effet, le marchand « peut employer son argent pour acheter une marchandise qui, comme valeur d'usage, a la qualité de produire des valeurs nouvelles : la force de travail humain » (E. Mandel). C'est ainsi que l'achat d'un esclave peut être une source importante de plus-value. C'est elle qui fit la fortune d'Athènes, par exemple, et qui depuis a continué à faire celle de l'industrie moderne.

1. E. MANDEL (1962), *Traité d'économie marxiste*, coll. 10/18, Union générale d'éditions.

Ainsi le capital et la plus-value ne font leur apparition qu'avec le développement des échanges et de l'argent, et comme l'aboutissement de l'appropriation du sur-produit social par une partie de la société aux dépens d'une autre.

Mais la notion de propriété et d'appropriation, qui a fait l'objet d'un débat récent [1] sous la direction de J. Robin et R. Buron (1971), a subi de profondes évolu-tions de cette époque à nos jours. Nous ne pouvons en faire ici l'étude même succincte sous ses aspects variés, juridiques, économiques, sociologiques, etc. Nous signalerons qu'avec le perfectionnement rapide des techniques et la venue de l'ère industrielle, une certaine catégorie d'objets et d'outils a pris une impor-tance particulière et, par cela même, leur propriété constitue un levier essentiel de la vie économique moderne : il s'agit des *moyens de production*.

Comme le souligne R. Buron, le Code Napoléon ne parle pas de l'entreprise, mais de *l'entrepreneur*, c'est-à-dire de l'homme « capable de prendre des initiatives à l'aide de ses propres capitaux ou de ceux qu'il emprunte sous sa responsabilité personnelle, qui met en œuvre ses projets grâce à son propre travail ou celui des membres de sa famille, voire de compagnons dont beaucoup se destinaient à s'établir à leur propre compte ». Ainsi dans ce cadre, propriété du fonds, pouvoir de décision, autorité sur les collaborateurs se confondent dans la notion d'entrepreneur, beaucoup plus que dans celle de propriété, d'entreprise.

Mais avec l'apparition des grandes entreprises manu-facturées, « des problèmes imprévus se sont posés du fait de la contradiction des intérêts des apporteurs de capitaux d'une part, des apporteurs du travail de l'autre ». Le capital est souvent réparti aujourd'hui entre de nombreux actionnaires qui délèguent leur pouvoir de gestion, satisfaits seulement s'ils en retirent un profit financier. Les administrateurs eux-mêmes ont des possibilités limitées : des technocrates, parfaitement au courant, et de plus en plus souvent même des ordina-teurs leur soumettant la solution des problèmes qu'ils n'ont plus qu'à entériner. Ce sont ainsi surtout les responsables des grandes banques et des monopoles

---

1. Table ronde de l'Unesco du 19 février 1971 : « La Nature, l'Homme et la propriété. — Vers la dépropriation » (R. Buron).

financiers qui, bien que ne possédant pas le capital, le gèrent.

Or c'est au niveau de cette gestion que l'on décide du réemploi du capital accumulé, dans les investissements. *La question essentielle est donc beaucoup moins de savoir qui est propriétaire que de savoir qui exerce le pouvoir de direction. En effet, c'est cette dernière qui exprime la finalité d'une société humaine, c'est elle qui lui donne sa structure et sa signification profonde.*

Si, comme c'est le cas dans une société capitaliste, la finalité est la recherche du profit, toute autre considération devra se plier à cet objectif, l'intérêt général lui-même. Le seul moyen de faire prévaloir ce dernier sur la rentabilité et le profit a été l'appropriation des entreprises par l'État. C'est ce qui a été fait dans les pays socialistes et, pour certains secteurs, dans les pays occidentaux. Mais la gestion est alors tombée entre les mains d'une hiérarchie bureaucratique qui, sans détenir la propriété des moyens de production, ni le capital, s'est accrochée au pouvoir, comme la bourgeoisie a pu le faire en pays capitaliste. Le conservatisme des avantages sociaux n'a rivalisé qu'avec celui des méthodes de gestion.

D'autre part, la planification étatique dans un pays capitaliste ne peut assurer le contrôle des grandes entreprises privées étrangères établies sur son territoire, ni surtout des puissances économiques trans ou multinationales. Ainsi, à côté de plans régionaux intégrés dans l'aménagement d'un territoire, on est obligé de concevoir des plans européens, voire mondiaux, fondés sur le respect de l'intérêt général et non plus seulement sur le profit. C'est pourquoi la planification démocratique qui parut pouvoir fournir un moyen terme entre capitalisme d'État et capitalisme privé n'a jamais pu s'opposer efficacement aux intérêts de ce dernier.

Robert Buron écrit : « L'entreprise moderne est un complexe qui met en jeu des capitaux, certes, mais aussi une force de travail, des techniques, un savoir-faire, des méthodes organisationnelles, un état d'esprit savamment créé souvent et non seulement dans la technostructure mais chez le personnel, voire dans l'opinion en général, celle des consommateurs en particulier. Pourquoi seuls joueraient un rôle sur les décisions essentielles, dont les conséquences peuvent être lourdes pour le personnel, comme pour la collectivité locale d'implantation, sans

parler des fournisseurs et des clients, les détenteurs
réels ou apparents des capitaux sous le contrôle plus ou
moins effectif de l'État ? »

*
* *

Quand on essaie de prendre une vue panoramique de
l'évolution humaine depuis ses origines (de l'évolution
sociologique, du moins; l'évolution sous son aspect
thermodynamique), on ne peut qu'être envahi par
l'impression d'un déterminisme inexorable. J'entends
par là celle qui organise la répartition du résultat énergétique du travail humain, c'est-à-dire le résultat de
la transformation de l'énergie solaire en objets, par
l'intermédiaire de la machine biologique humaine.
Quelles que soient les étapes parcourues, on est forcé
de reconnaître que la propriété et l'appropriation de
ces biens résultent essentiellement d'un besoin de domination paléocéphalique. La finalité première, à savoir
la survie de l'espèce, fut progressivement perdue de vue
à mesure que l'Homme devenait de plus en plus maître
de son environnement. Mais de nouveaux facteurs sont
alors intervenus. La classe dominante, animée par le
profit, ne pouvait plus à elle seule assurer la consommation des biens produits, comme elle avait pu longtemps
le faire grâce à l'esclavage sous toutes ses formes et la
lenteur de l'évolution technique. La plus-value étant
fonction de la production de marchandises, et celles-ci
de leur consommation, pour consommer plus, il fallut
donc faire appel aussi à la classe productive. Il en est
résulté pour celle-ci une amélioration de son niveau de
vie. On adapta la production à la consommation. La
société de consommation était née, et tout le monde fut
heureux de profiter ainsi de l'accroissement de la
production.

Mais comment la production a-t-elle pu s'accroître ?
Sans doute du fait de l'accroissement des populations,
d'abord. En effet, ce n'est pas par l'accroissement du
nombre des heures de travail, qui a diminué au contraire.
L'accroissement des populations « productives » tend
à montrer que l'environnement dans son ensemble a
permis ce développement.

Jusqu'à maintenant, et quelles que soient les critiques
que l'on en fasse, notre monde moderne a été favorable
au développement, à la multiplication de l'espèce

humaine. On peut objecter que ce sont les pays où la famine règne encore qui ont le taux de natalité le plus élevé. Mais les hommes qui les animent ont un faible taux de productivité de biens consommables. La régulation négative se fait par la mortalité élevée due à la maladie, la misère. Au contraire, dans les pays industrialisés, la régulation positive se fait par l'amélioration des conditions de vie biologiques.

Mais cet aspect énergétique des activités humaines était insuffisant à permettre une évolution des sociétés, si parallèlement un accroissement informationnel n'avait eu lieu.

Car l'accroissement de la production est venu avant tout de l'évolution technique. Ce n'est pas la classe ouvrière qui en est responsable, non plus que la bourgeoisie, en tant que telle. Ce sont quelques hommes, nés de la bourgeoisie et qui ne peuvent en avoir cependant les motivations, essentiellement guidées par le profit. Ces hommes sont ce que l'on peut appeler, *les découvreurs*. Nous ne dirons pas que ce sont des techniciens qui, payés par le patron avec lequel ils collaborent, ne découvrent généralement que des améliorations secondaires, importantes certes pour l'accroissement des produits consommables, mais insuffisantes pour faire évoluer profondément la technique et la science. Il ne s'agit pas non plus des innombrables techniciens attachés au contrôle, au maniement ou au perfectionnement des machines. Nous voulons parler des hommes, de plus en plus nombreux, dont la motivation est la recherche scientifique, quels qu'en soient d'ailleurs les déterminismes profonds, inconscients et innombrables. Ce qui est essentiel, c'est de reconnaître que ces hommes ne peuvent être essentiellement guidés par le profit, et l'on semble trop oublier aujourd'hui que l'évolution extraordinaire du monde contemporain est beaucoup moins liée en fait à sa structure socio-économique dominante, socialiste ou capitaliste, qu'à l'existence d'un nombre de plus en plus grand de découvreurs scientifiques fondamentaux. Ce n'est que secondairement que l'exploitation de la découverte par l'économie capitaliste aboutira à la production de biens de consommation et à l'accroissement du profit de la classe dominante. Mais la classe exploitée profitera du progrès également, sans avoir rien fait pour cela non plus. Cependant, on peut dire qu'un régime socialiste devrait, en principe, favoriser la découverte fondamentale, la seule qui compte, la seule évolutive, puisque ce régime, toujours en principe, ne cherche plus l'accroissement d'un capital, accroissement qui se trouve inéluctablement lié à la « vente » de produits consommables.

L'augmentation de la marge bénéficiaire doit essentiellement provenir des progrès des techniques de fabrication. Elle exige qu'une partie importante de cette marge bénéficiaire soit réinvestie dans la recherche. Cela suppose que, dans tout objet consommable, une part de plus en plus grande soit réservée à l'information, et de plus en plus petite à la thermodynamique physiologique humaine. *Un objet entièrement « mécanofacturé » exprime toute l'information fournie par l'homme en une seule fois aux machines qui l'ont fait. Un objet « manufacturé » exprime l'information qui a permis chaque fois à l'homme de la réaliser, mais aussi l'énergie neuro-musculaire libérée par lui pour chaque objet à chaque étape de sa manufacture.* Ce que l'homme en effet fournit à la machine, c'est une information, un programme, le produit de son imagination créatrice. L'essence de l'homme devient de moins en moins son travail, de plus en plus la connaissance de l'inconnu et le progrès technique qui en résulte.

Il est peut-être possible, d'ailleurs, d'exprimer ces idées sous une autre forme, plus facilement compréhensible. N'a-t-on pas abordé les faits socio-économiques, jusqu'ici, sous une forme trop *exclusivement thermodynamique*, et insuffisamment *informationnelle* ? En appuyant sur un bouton, en mobilisant en quelque sorte une quantité très faible d'énergie, il est possible aussi bien, soit d'allumer une ampoule dans une pièce obscure, soit de déclencher l'explosion d'une bombe atomique. La quantité d'énergie libérée à la suite de ces deux expériences sera extrêmement différente, et pourtant l'information transmise à leur origine sera énergétiquement fort semblable. A ne voir que l'énergie libérée dans les faits socio-économiques, on a tendance à ignorer l'information qui est à l'origine de cette libération. Les découvreurs peuvent être comparés à cette information qui, sous une forme énergétique dérisoire, est capable de déclencher des processus énergétiques considérables. N'étudier que ces derniers, c'est probablement se priver d'un élément essentiel à leur compréhension.

Enfin, l'isolement des découvreurs ne viendrait-il

pas du fait que, beaucoup plus que l'expression d'une société particulière à une époque donnée de l'évolution humaine, *ils seraient en fait l'expression, à une époque donnée, de la connaissance accumulée par l'espèce humaine? Ils actualisent en quelque sorte l'évolution historique, car la découverte ne peut se faire qu'en comptabilisant l'expérience passée et en la dépassant.* Il y a toujours eu, semble-t-il, des classes opprimées et des classes opprimantes, et il y a toujours eu des découvertes qui n'exprimaient pas une idéologie de classe mais faisaient le bilan momentané des connaissances humaines du moment, pour s'en servir comme d'un tremplin pour faire un saut dans l'inconnu et en rapporter des vues nouvelles sur l'organisation de notre univers.

⁎ ⁎

Nous voudrions revenir sur cette notion déjà exprimée, à savoir que, ne pas posséder les moyens de production, prive le salarié des moyens d'orienter cette production. On ne peut imaginer que la plus-value qui naît du travail du salarié soit entièrement consommée par les bourgeois, ou bien dans ce cas, leur nombre serait si important par rapport au nombre des ouvriers que l'on ne pourrait espérer, en régime démocratique, changer l'ordre existant. La consommation personnelle du bourgeois paraît négligeable par rapport à l'ensemble du revenu national; le calcul en a été fréquemment fait. La plus-value est réservée aux investissements, directement ou indirectement par l'intermédiaire de l'Etat, et ainsi au développement des industries. Cette plus-value est liée aux lois du marché. Elle n'existe que parce que le produit du travail ouvrier est vendu. Comme le capitaliste ne peut assurer à lui seul la consommation de ce produit, il en résulte que c'est le travailleur lui-même qui doit être l'acheteur du produit du travail de sa classe. Il est nécessaire, pour qu'il achète plus, que son salaire augmente, si bien que parallèlement son niveau de vie s'élève. Ce déterminisme paraît devoir satisfaire non pas tout le monde, car certains caractères secondaires, comme la marge de chômage nécessaire au maintien au taux le plus bas du prix à attribuer à la force de travail, maintient une certaine masse de mécontents. Le crédit qui s'introduit dans la même optique accuse aussi l'aliénation du travailleur. Mais, dans l'ensemble, le système pourrait satisfaire à l'appétit de consommation du plus grand nombre. Or, il est important de constater que dans un tel système *le capitaliste est aussi aliéné que le salarié*. Détenteur des moyens de production, qu'en fait-il? D'autres moyens de production? Dans quel but? Celui d'accroître la consommation, non pas la sienne mais celle de tous. C'est en cela que réside la société de consommation. Dire que le prolétaire est exploité au profit du capitaliste nous paraît inexact. *Le prolétaire comme le capitaliste est exploité par un mythe*, ou plus exactement par un déterminisme dont ils sont inconscients l'un et l'autre, auquel l'un et l'autre se trouvent aliénés, le capitaliste au premier degré, le prolétaire au second degré. Le fait pour le prolétariat de devenir le détenteur des moyens de production ne lui donnera pas conscience de ce déterminisme. Dans les pays ayant fait leur révolution socialiste, pour orienter l'utilisation de la plus-value, le prolétariat a été forcé de s'en remettre à un type d'individus, techniciens ou spécialistes dont on ne peut dire qu'ils aient consommé pour eux-mêmes une part importante de cette plus-value. Ils ont fixé une finalité à l'ensemble social, la production pour la production. Ce fut un bien indiscutable tant qu'il s'est agi de créer l'industrie lourde nécessaire à sortir ces pays de leur retard industriel. La même révolution fut réalisée à l'ouest de l'Europe à la fin du siècle dernier par la bourgeoisie. Celle-ci s'est alors trouvée contrainte, pour continuer son développement, de faire participer le prolétariat à la consommation. On peut prévoir que la bureaucratie des pays de l'Est européen sera obligée, dans les années à venir, de faire la même chose si elle veut les sortir de la crise économique dans laquelle ils sont plongés. Si la bureaucratie veut se maintenir au pouvoir, elle devra élever le niveau de vie du prolétariat. On peut se demander ce qui distinguera les pays où les moyens de production ne seront pas entre les mains d'une classe sociale certes, mais où la décision de l'orientation de l'emploi de la plus-value paraîtra rester entre les mains de la bureaucratie. Celle-ci n'aura pas été libre de son utilisation puisqu'un déterminisme implacable l'aura contrainte à l'orienter vers la consommation du plus grand nombre, au même titre que la bourgeoisie s'est vue contrainte d'améliorer le niveau de vie des ouvriers.

En réalité, *l'amélioration du niveau de vie du prolétariat n'est qu'un des objectifs, et à vrai dire un objectif qui devrait être secondaire, du socialisme.* Il n'est même pas certain que le régime capitaliste ne réalise pas mieux cet objectif. La classe bourgeoise ne peut survivre qu'en accroissant le profit qui constitue sa finalité première ; pour cela elle doit vendre, ce qui aboutit indirectement à l'élévation du niveau de vie du prolétariat qui achète. Alors que la bureaucratie n'ayant pas même cet objectif du profit a dû, pour survivre, s'adresser à la coercition policière.

Un objectif plus essentiel du socialisme, c'est *la libération des hommes de la domination d'une classe*, mais la naissance de la bureaucratie montre qu'il ne suffit pas, pour ce faire, de supprimer la propriété privée des moyens de production.

La domination est un phénomène précis. Elle s'exprime par l'impossibilité, pour le prolétariat, d'assurer son propre destin. Toutes les décisions essentielles de la vie individuelle et collective sont entre les mains des autres, monopoles, groupes de pression économiques, mais aussi bien technocrates et bureaucrates à l'Est européen. Or, ces groupes de pression ne sont pas maîtres de leur destin. Ils se trouvent engagés dans le déterminisme implacable du profit pour le profit, de la domination pour la domination, plus que de celui du profit pour eux-mêmes en tant qu'utilisateurs de biens consommables. Le régime parlementaire réalise enfin cette tromperie remarquable qu'il paraît autoriser l'expression de la volonté du plus grand nombre, alors que ce plus grand nombre, intoxiqué par l'information dirigée, ignorant les facteurs économiques et politiques fondamentaux, inconscient du jeu dont il est l'objet, obéit. Il obéit au second degré, car il obéit au déterminisme de la classe dirigeante, elle-même dirigée par ses propres motivations de façon tout aussi inconsciente.

C'est pourquoi la notion de classe, malgré les réalités qu'elle contient, détourne l'attention du problème fondamental de la destinée humaine. Puisqu'on nous parle de l'« essence de l'homme », cette essence est-elle le travail, qui débouche sur la production de biens consommables, ou la connaissance, qui y débouche indirectement, après avoir passé par une finalité différente ? C'est cela, le vrai problème. Si l'essence de l'homme est la connaissance, l'évolution est ouverte en grand, infiniment. Si l'essence de l'homme est le travail, l'évo-

lution est prête pour les crises, les dominations économiques et les guerres, quelles que soient les idéologies
dominantes.

Le profit consommable, finalité apparente du comportement du bourgeois, ne lui « profite » pas autant que les
efforts qu'il fait pour l'obtenir le mériteraient. Il n'est
pas besoin, de ces industries gigantesques, de ces
monopoles tentaculaires, pour satisfaire la consommation
de quelques directeurs, de quelques managers ou P.D.G.
Si la finalité de ces quelques hommes n'était que cela,
on pourrait conseiller au prolétariat de leur offrir une
vie identique à ne rien faire, il s'en tirerait au meilleur
prix. La motivation inconsciente ne peut être limitée à
l'appétit de consommation, et l'erreur du prolétaire
bien souvent, pour lequel cet appétit est d'autant plus
légitime qu'il ne peut l'assouvir, est d'attribuer ses
propres sentiments au bourgeois.

Finalement, la motivation réelle du bourgeois est la
domination. La notion de propriété des objets et des
êtres, celle par la suite des moyens de production, celle
enfin de leur gestion est intimement liée au désir du
pouvoir. On peut faire disparaître progressivement les
différentes formes de la propriété, le désir de dominer
persiste. La bureaucratie en est un exemple.

Si la notion de propriété individuelle des objets
paraît n'être qu'un reliquat d'époques inconscientes et
ascientifiques de l'Humanité, la notion de propriété
collective ne paraît pas mieux fondée. La seule possession
que l'on puisse accepter, c'est celle du monde par
l'Humanité. L'essentiel est alors d'imaginer comment
on peut organiser son exploitation universelle et pas
seulement au bénéfice d'un clan, d'un groupe, d'un
État ou d'une classe sociale, serait-ce même du prolétariat. Or, sur le plan sociologique aussi le problème
risque de rester encore biologique. En effet, en l'absence
de propriété privée ou même collective des biens, en
particulier des moyens de production, il restera encore
à résoudre, à tous les échelons d'organisation sociale
que l'on peut alors imaginer planétaires, l'orientation
et la finalité de leur emploi. Ne risque-t-on pas alors
de voir à nouveau s'imposer les cerveaux reptiliens les
plus agressifs, monopolisant une fois de plus les informations et ne laissant filtrer vers le plus grand nombre
que celles susceptibles de maintenir leur hégémonie
sociale ou celles du groupe qui les a motivées ? Si le

pouvoir est effectivement dissociable de la propriété, et si cette dernière n'a jusqu'ici été qu'un moyen d'accéder au pouvoir, n'est-ce pas le pouvoir qu'il faut « généraliser » ? *Mais comment généraliser le pouvoir sans généraliser l'information, car pour agir il faut être informé.*

Or, si les informations restent la propriété d'une classe qui ne diffuse que celles susceptibles de perpétuer sa domination, on est certain de tourner le dos à l'évolution. D'autant plus que cette classe elle-même ne sera sensible qu'à un certain type d'informations, celui qui entre dans son schéma culturel. Nous ne sommes pas sensibles aux ultrasons parce que la structure de notre appareil sensoriel ne nous le permet pas. Mais un bourgeois ne peut être, de la même manière, sensible qu'aux informations qui peuvent s'insérer dans le cadre de ses automatismes acquis. Il ne pourra donc diffuser, en retour, que les informations du même type, à l'exclusion des autres qui sont pour lui non signifiantes, car elles sont comme exprimées dans une langue qu'il ne comprend pas.

Il n'est que de voir le raidissement de nos sociétés bourgeoises, qu'elles soient de l'Ouest ou de l'Est, en face du pullulement des idéologies gauchistes, qui sont parfois l'expression d'un mouvement imaginatif et créateur, malheureusement trop exclusivement littéraire et pas encore scientifiquement élaboré.

L'AGRESSIVITÉ SOCIALE ET LES HIÉRARCHIES.

> « Le moins qu'on puisse dire du pouvoir, c'est que la vocation en est suspecte. »
>
> Jean ROSTAND,
> *Nouvelles pensées d'un biologiste*,
> Stock, 1947.

On voit ainsi comment, au cours des siècles, se sont établis autour du fonctionnement d'un cerveau primitif, l'hypothalamus, commandant la recherche de la nourriture et l'accouplement, des comportements d'agressivité instinctive, agressivité qui n'a rien à voir avec ce que nous appelons aujourd'hui agressivité. Le lion bondissant sur la gazelle n'est pas plus agressif que la ménagère achetant son beefsteak chez le boucher. L'agressivité telle que nous la connaissons, celle que les animaux ignorent, résulte du fonctionnement d'un cerveau plus récent, celui des vieux mammifères, le système limbique. Curieusement, ce cerveau qui a primitivement permis l'apprentissage en autorisant la mémoire des expériences passées, possède physiologiquement une activité dépressive sur le précédent. Ce cerveau de l'affectivité contrôle celui de l'instinct. Il permet une adaptation du comportement aux variations survenant dans l'environnement, plus souple que celle du programme rigide de la mémoire génétique enfouie dans le cerveau reptilien. Or, depuis la révolution néolithique, ce cerveau des automatismes acquis s'est trouvé engrammé par des « valeurs », c'est-à-dire des automatismes résultant de la vie en société. Au sein des groupes sociaux, le contrôle par le système limbique du cerveau primitif a abouti, semble-t-il, à l'établissement des hiérarchies. Hiérarchies basées sur un « savoir » assurant un « pouvoir ». Savoir de l'art de la guerre, des origines jusqu'à une époque récente, qui dure encore ici et là. Savoir technique de l'ère industrielle. Savoir s'enrichissant, grâce à la transmission par les langages, des expériences acquises par les générations passées. Savoir des relations entre l'Homme et l'inconnu mythique, qui a fait la puissance des prêtres. Mais il faut bien comprendre que dans ces différents domaines, ce qui distingue l'Homme des autres espèces animales, ce n'est que l'emploi du langage, mémoire transgénérationnelle des expériences passées. C'est aussi, de temps à autre, l'apparition d'un homme, d'un homme imaginant, qui fait jaillir de son cortex préfrontal des structures inconnues. Le découvreur, qui se heurte alors aux automatismes acquis, introduit dans la nature un virus conceptuel capable avec le temps de transformer, d'inclure son information nouvelle, prise à l'extérieur du système de référence, dans le capital d'automatismes acquis des hommes d'une époque. Mais depuis la révolution néolithique, il n'y a eu d'évolution, de découverte que physique.

Les jugements de valeur de base, en ce qui concerne l'Homme et sa nature, son « essence » comme on dit, la notion de propriété, celle de besoins, de droits et de devoirs, de l'honneur, du courage, de l'amitié et de l'amour, etc., ont été acceptées de générations en générations comme des données immédiates de la conscience, liées à la nature « transcendantale » de l'Homme. Alors qu'elles ne sont que les moyens mis en jeu par les groupes sociaux pour survivre, des automatismes créés par des sociétés d'hommes de plus en plus spécialisés et inter-dépendants, pour assurer leur domination sur d'autres groupes sociaux.

Même et surtout lorsque l'éthique se dit « humaine », ce qui voudrait dire, en principe, valable pour l'espèce, elle ne fait généralement qu'étendre à celle-ci la vision intéressée et dominatrice d'une culture. Or, une *culture ne représente que la somme des automatismes, des préjugés et des jugements de valeur d'une société particulière à une époque donnée.* Et quand une éthique universelle comme celle du Christ fait son apparition, la société tente de l'étouffer d'abord, puis rapidement la trans-forme et la digère dans ses automatismes séculaires pour restituer une « civilisation » étiquetée, répertoriée, dominatrice, sûre de ses valeurs soi-disant éternelles, alors que ce sont encore celles des premiers marchands issus du néolithique. Jusqu'ici, à part les brefs éclairs techniques des découvreurs, tout fonctionne encore sur la base de pulsions hypothalamiques, contrôlées par les automatismes acquis de la vie en société.

Deux ordres de faits essentiels semblent caractériser le stade d'évolution auquel nous sommes aujourd'hui parvenus. Deux ordres de faits qui, si on les examine d'un peu près, sont peut-être capables de nous faire comprendre l'orientation nouvelle de l'Agressivité non plus individuelle mais sociale, comme de nous permettre de penser que nous sommes à l'aube d'une révolution aussi importante que celle du néolithique.

Depuis les origines, l'Homme a étudié son environne-ment physique et créé la thermodynamique. Faute de connaissances et de techniques scientifiques suffisantes, il n'a pu aborder parallèlement l'étude du fonctionnement de son système nerveux. *Il a ainsi atteint une efficacité considérable sur la matière qui l'entoure, alors qu'il est resté ignorant longtemps de celle qui s'organise en lui.* Il s'est cru libre dans un monde déterminé. Il s'est cru d'une « essence » différente de celui-ci. Mais depuis que la biologie du système nerveux a permis d'utiliser les techniques d'études du monde physique dans l'approche de la mécanique horriblement complexe qui vit en nous, l'organisation de la matière vivante, sa dynamique évolu-tive à travers les espèces, commence à être comprise et expérimentée. Elle commence à se dégager de l'épais manteau d'obscurantisme du langage. Elle aborde scientifiquement des mécanismes inconscients qui ne pouvaient être appréhendés antérieurement. Dans ce tableau de la nature brossé par l'expérience humaine jusqu'à nos jours, dans lequel, de l'atome aux galaxies, les relations fondamentales avaient été patiemment découvertes et établies sous forme de lois, l'Homme restait une entité invulnérable aux assauts de la science. Celle-ci essayant de lui appliquer les lois de la physique butait sur une réalité incompréhensible, et laissait aux philosophes le soin de parler de lui. Cette époque touche à sa fin. Le système nerveux humain, des particules élémentaires aux comportements individuels et sociaux qui en sont l'expression fonctionnelle la plus élaborée, entre lentement dans le domaine de la science expérimentale. Il n'est déjà plus possible de conserver une attitude uniquement behaviouriste, d'étudier les comportements à l'extérieur d'eux-mêmes sans plonger dans l'intimité biochimique de leurs mécanismes.

Cela veut dire qu'il est déjà possible de faire la part des automatismes acquis, des engrammations sociologiques et des pulsions innées dans le comportement de l'homme social. Cela veut dire, en conséquence, que l'on peut se dégager de ces automatismes et chercher ailleurs les lois permettant de les utiliser, et non plus de nous soumettre inconsciemment à leurs propres lois.

Le deuxième ordre de faits portant à réflexion consiste dans l'incohérence qui grandit parallèlement entre *une culture entièrement élaborée par des groupes sociaux parcellaires et érigée en réalité intangible, et les découvertes scientifiques dont l'universalité fait la force.* En d'autres termes, jusqu'à présent, les informations venant peupler le système limbique, et y organiser les automatismes acquis, avaient leur source dans le groupe social, et cette origine restait inconsciente au plus grand nombre, camouflée sous le travesti des mots qui permettaient l'épanouissement du jugement de valeur. Aujourd'hui, la connaissance plus précise de la biologie générale des comportements, allant chercher ses informations à la source extrasociale des mécanismes intimes qui commandent à ces comportements, apporte l'espoir de se dégager des automatismes et de l'emprise coercitive des groupes sociaux. Elle oppose une vue relativiste à la rigueur de leurs interdits comme de leurs certitudes. Mais avant d'élaborer une méthodologie efficace pour contrôler ces comportements ancestraux, elle traverse évidemment une période difficile, au cours de laquelle la fragilité et la motivation socialement programmée des jugements de valeur apparaissent déjà en pleine lumière pour les plus informés, alors qu'ils constituent encore les bases inconscientes et fondamentales de l'action du plus grand nombre. *L'agressivité aujourd'hui exprime les difficultés du passage d'une société mercantile, où les comportements sont fondés sur des mythes comme celui de l'expansion, à une société universelle où les comportements sont basés sur des faits scientifiques, c'est-à-dire expérimentalement vérifiables.* Des faits permettant aux actions humaines d'accéder à une efficacité universelle, et non plus limitée à la survie temporaire d'un groupe social, quelle que soit l'importance numérique des individus qui le constituent. N'est-il pas caractéristique de constater que cette subversion, par rapport aux préjugés en place, prend naissance dans les universités ? En effet, malgré la canalisation autoritaire et intéressée des informations, malgré l'appropriation des *mass media*, les pouvoirs en place un peu partout ne peuvent enrayer la réception d'informations différentes dans les systèmes nerveux aptes à les recevoir. Or, ces systèmes nerveux sont ceux-là mêmes qui, suffisamment informés des réalisations techniques des générations qui les ont précédés, sont mieux capables d'en réaliser les incohérences et de tenter de leur trouver des solutions neuves.

En effet, si tous les hommes des époques primitives orientaient l'activité de leur système nerveux, par nécessité, vers la recherche de la nourriture et de leur protection contre un milieu hostile, beaucoup d'hommes de sociétés industrialisées contemporaines ont un certain temps libre pour faire fonctionner leur cerveau imaginant. En sociologie, en économie et en politique, des théories multiples tant explicatives que prospectives ont pu, en conséquence, être mises au jour par des cerveaux imaginants. Théories qui ne trouvent pas dans l'ordre social existant les faits capables de les satisfaire, et qui cherchent donc à susciter ces faits pour prouver la théorie. La société industrielle n'a peut-être pas prévu assez tôt que son besoin croissant de techniciens favoriserait l'éclosion, parmi ceux qu'elle formait, de quelques hommes imaginants et non pas définitivement automatisés par ses préjugés, et que, d'autre part, le développement technique allait progressivement libérer l'Homme de ses mains, en lui laissant de plus en plus souvent l'occasion d'utiliser son système nerveux central à des fins associatives. Or, malgré les efforts faits par cette société pour que les principes fondamentaux de sa survie ne soient jamais remis en question, un nombre croissant d'individus devient capable de le faire. Et si leurs efforts imaginatifs n'ont pas été jusqu'ici couronnés de succès, c'est sans doute parce que la biologie du système nerveux, encore dans l'enfance, ne leur en a pas fourni les moyens.

Ainsi, il n'est peut-être pas erroné de dire qu'à l'Agressivité Hypothalamique instinctive qui a permis la survie primitive dans l'environnement, a succédé une agressivité affective dès lors que l'urbanisation, la spécialisation du travail, ont interdit l'évitement mutuel et imposé l'interdépendance. A l'agressivité biologique persistante, assurant la domination de certains individus dans le groupe social auquel ils appartenaient, s'est alors ajoutée une agressivité des groupes sociaux entre eux, maintenant la structure de classes caractérisant l'organisation sociale, elle-même basée sur l'agressivité individuelle. Cette agressivité a souvent débordé dans des luttes internationales destinées à maintenir la suprématie ou favoriser le développement d'une bourgeoisie nationale sur une autre. Ces différents types d'agressivité n'ont pas disparu, bien sûr, et font appel à nos cerveaux préhumains. Le plus récent, celui de l'engrammation sociale, a généralement « détourné » à son profit l'agressivité instinctive, beaucoup moins utile pour l'homme moderne que pour l'homme primitif pour assurer sa survie immédiate.

Enfin, il semble aujourd'hui surgir une organisation corticale, sous-tendue par les agressivités antérieures qu'elle tente de programmer, et qui résulte de la difficulté d'imposer ou même de proposer une signification nouvelle de l'homme social aux conceptions parcellaires et automatisées qui règnent encore. La majorité des hommes des sociétés industrialisées ne se doutent pas que leur monde s'écroule. Quand ils le devinent, la technique leur fournit le plus souvent assez de satisfactions digestives pour qu'ils ne cherchent pas à s'aventurer sur le chemin anxiogène de la futurologie. Ils ne tiennent qu'à conserver l'ordre existant qui leur est matériellement favorable. Mais la cassure réside dans le fait que les concepts se généralisent, et qu'une méthodologie scientifique éclaire de plus en plus crûment l'absurdité des automatismes sociaux pour un homme qui se dit et qui est effectivement imaginant.

Ainsi l'agressivité « explosive », aiguë, de ceux qui cassent des vitrines et saccagent la propriété privée, n'est que la résultante d'une agressivité « chronique », sans doute moins apparente parce qu'institutionnalisée, étatisée, celle qui interdit aux hommes de se servir de leur lobe orbito-frontal, celle qui exige le maintien d'une « culture » et des automatismes sociaux qu'elle inflige, pour la seule raison que c'est elle qui est en place et existe déjà. On est ainsi conduit à penser que le véritable humanisme n'est peut-être pas du côté de la police, ce coup de poing du corps social, et à se souvenir que ce sont les honnêtes gens de l'époque qui ont crucifié le Christ, ce gauchiste avant l'heure; à se souvenir aussi qu'il chassa les marchands du temple et sans doute pas avec des fleurs. Ce qui ne les a pas empêchés de s'y réinstaller dès qu'il eut le dos tourné, et d'y étaler leurs marchandises depuis 2 000 ans.

On peut aussi prophétiser que le pouvoir étant de moins en moins fonction de la propriété des objets, et des êtres, le nouveau moyen de domination pourrait bien devenir la propriété de la connaissance. Encore que la connaissance implique celle des déterminismes qui commandent à notre besoin de domination. Pourtant, l'énervement qu'éprouvent certains adeptes des sciences humaines à l'égard des scientifiques fondamentaux, et l'assurance arrogante de certains de ces derniers ne dépendent-ils pas de mécanismes pulsionnels aussi primitifs?

Il faut reconnaître que, même si les pulsions fondamentales motivaient chez la plupart des hommes la recherche de la connaissance pour une nouvelle appropriation de celle-ci, compte tenu du fait que la société nouvelle puisse accepter de leur fournir les moyens d'y parvenir sans interdits socio-économiques rédhibitoires, un progrès considérable serait alors accompli. Non seulement pour l'individu mais pour l'Humanité, puisque le besoin de domination conduirait, dans ce cas, non pas à l'accumulation de marchandises pour accroître le profit, mais au développement des connaissances profitables à l'Humanité toute entière.

Il est peut-être utopique de croire que la mutation sociologique à venir rendra possible de faire de chaque homme un découvreur et non un marchand. *Mais il n'est pas utopique d'affirmer que l'Humanité ne peut continuer à toujours faire plus de marchandises pour augmenter un profit dont le but essentiel est de faire encore plus de marchandises : régulation en tendance dont on peut prévoir que le pompage n'est pas loin.* Dès lors, se pose la question de savoir quelles sont les limites des besoins, les facteurs de leur création, à quel moment et sur quels critères en changer l'orientation, quel déterminisme enfin est capable de réaliser ce changement. Nous reviendrons sur ces problèmes non résolus.

Enfin, il est utile de préciser que nous n'entendons pas, par « connaissance », la connaissance technique poussée jusqu'à la limite du connu, mais une connaissance interdisciplinaire des relations, une connaissance des structures et non exclusivement des éléments et, peut-être avant tout, celle des méthodologies existantes permettant à chacun de mettre en place les éléments mémorisés dans des cadres conceptuels toujours temporaires et capables d'évoluer. Nous croyons aussi que cette connaissance doit avoir pour base, si elle veut éviter la phraséologie, celle du fonctionnement de notre système nerveux. La connaissance des mécanismes du sommeil, de l'éveil et du rêve, leur rôle et leur signification, ceux de l'attention, de la mémoire, de l'imagination créatrice, celle des affects, des automatismes acquis. La connaissance que notre système nerveux possède de l'univers doit passer maintenant par celle qu'il est en train d'acquérir de lui-même. N'est-ce pas la manière la plus efficace de transformer l'environnement et les rapports sociaux de telle façon qu'il puisse fonctionner au mieux de ses possibilités imaginatives ?

***

Le public ne sait peut-être pas que l'agressivité peut dès aujourd'hui être contrôlée et même inhibée par des moyens pharmacologiques. Mais, de même que pour les produits contraceptifs, ceux qui en auraient sans doute le plus besoin se gardent bien de les utiliser. Ceux qui les utilisent sont ceux pour lesquels les conflits entre pulsions instinctuelles et interdits ou automatismes sociaux provoquent un état de malaise prenant son origine dans l'inconscient et débouchant sur un comportement inadapté à la société dans laquelle ils vivent, ou sur des troubles psycho-somatiques. C'est un pansement sur une plaie psychique. Mais si l'agent contondant qui a provoqué cette plaie demeure présent dans le milieu, en d'autres termes si la société agressive le demeure, la thérapeutique pharmacologique par ces antiagressifs chimiques ne pourra que limiter la réaction neuro-motrice à l'agression sans supprimer les racines du mal. Ces drogues, appelées par le grand public « tranquillisants » et qui comprennent un très grand nombre d'agents agissant sur le fonctionnement bio-chimique du système nerveux, agents que l'on peut classer plus précisément dans les deux grands groupes des antinévrotiques (les vrais tranquillisants) et des antipsychotiques, dépriment généralement de façons d'ailleurs extrêmement variées la réactivité de l'hypothalamus et de la formation réticulaire mésencéphalique, ainsi que parfois le système limbique, hippocampe et amygdale. Ils dépriment donc les aires cérébrales de l'agressivité instinctive pulsionnelle et de l'affectivité, ce qui est fort utile quand ces aires cérébrales réagissent de façon désordonnée à l'environnement social et à l'acquis culturel. On lit souvent l'expression de regrets attristés concernant l'abus des tranquillisants, mais s'est-on jamais inquiété des abus d'une société qui conditionne cet abus même ? Où est le mal ? On retrouve ici la même confusion que pour le désaveu de la violence. L'abus des tranquillisants comme celui de la violence ne prend pas naissance spontanément dans le système nerveux d' « Hommes libres et responsables ». Ils ne sont que la réaction de ces systèmes nerveux à une violence chronique, camouflée, inapparente parce qu'enfouie dans l'inconscience des cerveaux préhominiens des autres, mais toujours présente dans la vie de l'homme moderne. Cette violence chronique crée l'angoisse, le déplaisir de la vie journalière. Les systèmes nerveux contemporains y répondent soit par la lutte (la violence explosive), soit par la fuite, celle des tranquillisants et de la toxicomanie, soit encore par la soumission béate et l'inconscience. Mais voyez comme, à part quelques regrets, personne ne s'insurge réellement contre la fuite réalisée par les tranquillisants, alors que l'on assiste à une croisade contre la toxicomanie, celle de l'alcool exceptée évidemment. C'est parce que la fuite par les tranquillisants permet généralement la récupération de l'individu par le groupe social. Elle permet sa réinsertion, sa soumission à la culture triomphante, alors que la toxicomanie est l'expression d'un refus, que cette culture dominatrice ne peut supporter. Quant à l'alcool, il combine pendant de nombreuses années une soumission analogue à celle des tranquillisants pour celui qui le boit, à l'accroissement du profit pour les autres, ceux qui en font un commerce légal. Il ne saurait ainsi être attaqué, en dehors d'associations philanthropiques, aussi bien intentionnées qu'inefficaces à l'égard d'un problème socio-économique qui n'est jamais mis en cause. D'ailleurs, qui paie les dégâts de l'alcoolisme? La société tout entière, par les frais hospitaliers qui en découlent toujours, tôt ou tard. Mais l'industrie de l'alcool, elle, n'en souffre pas, et c'est la seule chose qui compte. C'est encore là un exemple du triomphe de l'égoïsme d'un groupe social, sur l'intérêt de l'ensemble. On peut dire à la décharge des tranquillisants qu'ils n'aboutissent pas, quant à eux, à l'ascite et à la cirrhose du foie, pas même aux accès de folie furieuse et homicide qu'ils contribuent même bien souvent à apaiser. Ce que l'honnête homme reproche sans doute aux tranquillisants, c'est de mettre en évidence le fait que les automatismes sociaux les mieux appris, les plus profondément engrammés, la culture la plus évoluée sont insuffisants à assurer le bonheur dans l'inconscient de l'homme d'aujourd'hui. Non seulement celui-ci devrait se soumettre à ses déterminismes sociaux, mais encore il devrait exprimer une joie profonde à s'y soumettre. Qu'il cherche à fuir son angoisse, c'est déjà la preuve qu'il la ressent et donc que tout n'est pas parfaitement réussi dans son apprentissage programmé, même quand il n'est pas capable de mettre en cause la structure sociale qui lui inflige ce programme et l'a conçu.

Ainsi la pharmacologie, répétons-le, serait à même dès aujourd'hui de faire disparaître l'agressivité. Mais comme cette agressivité est le fondement même de la compétition sociale, le fondement de la structure de classe, on comprend qu'utiliser ce moyen aboutirait à la disparition de la structure sociale existante. A moins que les drogues antiagressives soient réservées à la classe dominée pour lui faciliter sa soumission à la classe dominante qui, elle, se garderait bien d'en consommer. Peut-être un pouvoir pourrait-il un jour imposer plus ou moins ouvertement l'emploi de telles drogues pour abolir les conflits sociaux? Il semble difficile d'imaginer par quel moyen technique ce but pourrait être atteint, à moins que la distribution se fasse de façon camouflée, sous un prétexte différent, comme celui de la prévention du cancer par exemple. Mais les classes ne sont pas des structures homogènes et il semble impensable que le secret du procédé puisse être bien gardé. Nous serions alors parvenus au meilleur des mondes d'A. Huxley.

Il serait évidemment préférable, pour faire disparaître l'agressivité, que celle-ci ne soit pas « rentable », qu'elle ne constitue pas le moteur essentiel de la promotion sociale. Mais pour cela il serait nécessaire que les sociétés choisissent un autre modèle de hiérarchie et de comportements, qu'elles soient donc déjà devenues conscientes des mécanismes qui sont à l'origine de leurs pulsions dominatrices et qu'elles choisissent d'orienter ces dernières vers autre chose que la possession des biens matériels, la volonté de puissance et le profit sous toutes ses formes.

*
* *

Il est curieux de constater que tout groupe humain, comme tout groupe animal d'une même espèce ont toujours vu s'établir jusqu'ici entre les individus qui les composent une *hiérarchie*. Chez l'animal, elle est commandée par le cerveau reptilien, par l'agressivité instinctive et la domination sexuelle. Chez de nombreux mammifères, la soumission du subordonné au « leader » s'exprime même, quand ils appartiennent au même sexe, par le simulacre de l'accouplement au cours duquel le second « couvre » le premier.

Chez l'Homme et dès l'enfance, c'est encore ce comportement hypothalamique qui assume la sélection des chefs. Les hiérarchies s'établissent encore le plus souvent sur la base de ces processus instinctifs. Cependant, le fait est généralement moins directement évident, car le cerveau des vieux mammifères, le système limbique, siège des automatismes acquis d'origine sociale, permet un second système de hiérarchisation. Motivée par le cerveau reptilien, par le désir de domination, la réalisation du pouvoir devra passer par l'approbation de la structure socio-économique régnante, qui favorisera les facultés qui lui sont les plus utiles. La capacité technique, le « savoir technique » et la mémoire pour une société dominée par la technique, bien que motivés essentiellement par le cerveau reptilien, fourniront une base nouvelle à la hiérarchie. Mais la propriété privée et le profit restant, en arrière-plan, l'agent dynamisant fondamental, la hiérarchie du savoir technique, celle de la technocratie, demeurera à son service. De même le savoir mythique, celui pouvant servir d'intermédiaire entre l'Homme et les dieux, a validé pendant longtemps la place du sacerdoce dans les hiérarchies. Et puis, les mythes perdant de leur importance en fonction inverse de celle grandissante des connaissances techniques et de l'emprise progressive de l'Homme sur son environnement, les prêtres ont parallèlement perdu leur auditoire, leur influence sur les « fidèles » et, en conséquence, jusqu'aux raisons de leur recrutement.

Une hiérarchie reposant sur l'efficacité du cerveau imaginant est également prévisible. Il est probable qu'elle constituerait une étape évolutive et, en quelque sorte, un progrès. Elle est d'autant plus probable que les sociétés auront de plus en plus besoin de créateurs pour animer et diriger leurs techniciens. Il est également probable que, si une hiérarchie basée sur la création représente une nécessité sociologique, la motivation hypothalamique, celle de la domination, sera encore celle qui servira le plus souvent à l'éclosion des créateurs.

Le progrès réel, l'ultime étape évolutive, résiderait dans la possibilité d'une motivation créatrice qui ne serait pas liée à une hiérarchisation ; dans la découverte, par l'Homme des époques à venir, d'une pulsion valable pour l'espèce et non pour l'individu inscrit dans la hiérarchie sociale.

Tout le monde a lu sans doute ce livre intitulé *Le Principe de Peter* dans lequel il est décrit, sous une forme humoristique, un phénomène sociologique dont on aurait tort de sous-estimer l'importance : toute société permet la promotion, l'élévation dans la hiérarchie, de chaque individu tant qu'il n'a pas atteint son niveau d'incompétence. Ce qui aboutit à cette conclusion apparemment paradoxale que nous ne sommes actuellement dirigés que par des individus incompétents, car tant qu'il n'est pas incompétent, tout individu est légitimement assuré de gravir les échelons des hiérarchies sociales. Ce qui n'est pas dit d'ailleurs dans ce livre, c'est que cette promotion se réalise sur une « compétence », une efficacité à l'égard de la finalité du groupe humain. Imaginons de façon utopique que la finalité des sociétés modernes puisse un jour ne plus être le profit passant par l'intermédiaire des connaissances techniques et de la propriété, alors toutes les hiérarchies actuellement instituées risquent de s'écrouler. De même, la hiérarchie dominatrice de l'homme sur la femme s'étant établie sur la force musculaire et l'aptitude au combat, finalités sociales qui tendent à prendre de moins en moins d'importance avec la céphalisation fonctionnelle progressive des sociétés humaines, les hiérarchies intersexuelles antérieures tendent à disparaître, et la subordination de la femme par rapport à l'homme à s'estomper.

Les hiérarchies admettent *a priori* l'existence de dons innés, génétiques [1]. Nous avons vu qu'il est encore difficile de faire la part exacte de l'inné et de l'acquis dans le comportement humain. Mais nous ne cachons pas qu'un raisonnement logique, à partir de la répartition statistique des valeurs biologiques en général, nous porte à penser que le rôle de l'acquis, celui de la niche environnementale, intériorisée dans le système nerveux de chacun de nous, paraît devoir dominer très largement sur les dons innés. Et cependant la notion d' « égalité » des individus ne peut être synonyme d'uniformité ou d'identité. Même deux jumeaux ne naissent pas au même point de l'espace-temps, et leur niche environnementale, leur niche parentale en particulier, peut être fort analogue mais jamais identique. Le monde qu'ils intérioriseront dans leur système nerveux sera donc différent. Il existe évidemment des handicapés génétiques que la pression de sélection aurait fait disparaître autrefois. La conscience moderne, confusément d'ailleurs, refuse de plus en plus de se soumettre aux lois primitives imposées par la naissance. Grave problème que la conservation de ces handicapés génétiques, que certains considèrent capables par leur nombre croissant, avec le temps, de modifier l'espèce dans un sens défavorable à son évolution. La notion d'égalité se réduit donc à l'égalité des chances. Or, si nous admettons que ces chances sont à peu près également réparties sur le plan biologique,

---

1. La tactique du P.C.F. et de la C.G.T. qui défend la hiérarchie des salaires en est un exemple. Sans quoi cette attitude se résumerait à reconnaître la hiérarchie des niches environnementales ou la nécessité d'utiliser la volonté de puissance pour favoriser la productivité. Mais les « dons » « méritent-ils » d'être récompensés ?

la seule source d'inégalité pour elles ne peut être que
le milieu. Il s'agit d'un problème sociologique qui
consiste, pour la société humaine dans son ensemble,
à fournir à chaque enfant la possibilité de... de quoi?
De s'élever dans les hiérarchies malheureusement. Je sais
bien que l'on camoufle généralement cette réalité sous
les termes pompeux de « plein épanouissement de
l'homme et de sa personnalité ». Soyons lucides : l'égalité
des chances dans la majorité des systèmes nerveux
contemporains signifie : « l'égalité des chances de devenir
bourgeois ». Ce n'est pas l'égalité des chances laissées
au cerveau imaginant pour créer, mais celles laissées
au cerveau pulsionnel et à celui des automatismes pour
dominer, pour s'élever dans les hiérarchies. Hiérarchies
organisées pour la survie des groupes sociaux, excluant
donc *a priori* toute solution originale autre que celle
de l'innovation technique leur permettant d'augmenter
la marge du profit. Toutes les branches des activités
humaines, l'armée, la police, les fonctionnaires, les
technocrates, les scientistes et les politiciens, les artistes
eux-mêmes, sont classés, hiérarchisés à partir de cette
éthique supranationale. Le fonctionnement harmonieux
de ces ensembles doit aboutir à l'expansion croissante,
à l'accroissement de la propriété des objets et des êtres,
à celui du profit. Cette prétendue « éthique » a tellement
envahi les systèmes nerveux contemporains que même
l'anarchiste le plus vitupérant à l'égard des hiérarchies
sociales est inconscient généralement du fait que ce
qu'il désire c'est d'abord la liberté d'expression de ses
pulsions les plus primitives aliénées par les automatismes sociaux. Bien des anarchistes en sont encore au
stade d'évolution de l'enfant de deux ans que l'on oblige
à contrôler ses sphincters, que l'on prive, au moment où
le besoin se fait sentir, du plaisir de déféquer ou d'uriner
librement.

Quant à la liberté de penser, dont on parle tant, ce
n'est généralement que la liberté de se soumettre à des
automatismes sociaux, à des jugements de valeur non
conformes à ceux de la classe dominante, mais rarement
celle d'imaginer des structures nouvelles dans toutes
les formes des activités humaines. *Or, nous n'insisterons
jamais suffisamment sur la nécessité fondamentale de la
diversité, de l'addition et du mélange des informations
pour permettre l'évolution biologique.*

L'évolution sociale ne peut résulter de l'antagonisme

d'automatismes sociologiques différents, ou du triomphe momentané de celui-ci sur celui-là, mais de la constante innovation conceptuelle, de l'imagination créatrice remaniant sans cesse les faits socio-biologiques découverts chaque jour. L'évolution ne peut être basée que sur la synthèse et non sur l'élimination, à partir du moment surtout où nos connaissances scientifiques sont de plus en plus aptes à mettre en évidence et à contrôler les facteurs autrefois inconnus de la pression de sélection.

APPROCHE BIOLOGIQUE D'UNE SOCIÉTÉ URBAINE.

On voit que le schéma cybernétique que nous avons proposé au début nous permet de ne pas confondre effecteur, facteurs et effets. Si la ville est la production d'un groupe social et réagit en retour sur la structure de celui-ci, nous venons par contre de considérer quelles étaient les raisons « internes » assurant l'organisation de ces groupes sociaux. Bien sûr, ces groupes sociaux ne construisent pas la ville au hasard, mais dans un cadre écologique particulier, et nous devrons étudier ce facteur écologique.

Bien sûr, le stade évolutif auquel est parvenue la technique est aussi un facteur fondamental de la société et de la structure même de la ville. La civilisation industrielle, résultant de l'évolution des sociétés à travers l'Histoire, est ainsi un facteur évident de l'organisation moderne des groupes sociaux. Il en est de même des informations, des besoins. Mais ce sont là des facteurs externes de la structure sociale, variables avec les époques et les lieux, alors que le facteur principal est interne, il réside dans la structure du système nerveux humain, et dans la connaissance et donc la conscience que nous pouvons en avoir.

En d'autres termes, une structure sociale comme une structure organique possède ses informations spécifiques génétiques, innées. Pour l'organisme, cette structure prend sa source dans les acides désoxyribonucléiques, pour la société dans le fait que ces ADN ont codé la structure des systèmes nerveux spécifiques des individus qui la constituent et, en conséquence, leur comportement fondamental. Mais une structure sociale, comme une structure organique va engrammer sa niche environnementale, et c'est alors que nous verrons intervenir les facteurs, écologiques, technico-historiques, et informationnels.

Notons soigneusement qu'il ne s'agit pas là d'une hypothèse, mais d'une constatation analogique, et dans laquelle l'analogie n'est pas faite entre deux systèmes de *nature* différente, mais entre deux niveaux d'organisation appartenant à un même système, ce qui augmente la fidélité de l'analogie.

Quand on sait qu'une matrice biologique, en ce qui concerne l'individu, ne peut rien faire à elle seule si elle n'est pas engrammée par le milieu social, on peut soupçonner qu'une matrice biologique sociale ne prend sa signification qu'engrammée pareillement par le milieu technico-économique, c'est-à-dire par l'environnement tel qu'il est devenu à une époque donnée. Autrement dit, la matrice biologique sociale ne peut être la même après avoir été engrammée par un environnement paléolithique, néolithique, ou moderne. Par contre, sa structure de base, les rapports interindividuels, risquent de demeurer les mêmes aussi longtemps que les systèmes nerveux qui les sous-tendent resteront inchangés. Or, ces systèmes nerveux, tout en conservant la même structure statique, peuvent se transformer *fonctionnellement* si une participation consciente d'une aire cérébrale prend le pas sur les autres. C'est ce qui s'est passé lorsque le cerveau des vieux mammifères, celui de l'apprentissage, a commencé à contrôler le cerveau reptilien. Quand, en quelque sorte, les automatismes sociaux ont commencé à contrôler les pulsions primitives. Mais depuis, ces automatismes sociaux sont demeurés pratiquement les mêmes. Les morales, les « valeurs » comme l'on dit, n'ont pas changé parce que les différents types de société se sont bâtis sur des motivations identiques, sur le fonctionnement prédominant des mêmes aires cérébrales. Ce qui a changé, c'est l'environnement matériel, transformé par le progrès technique. Le cerveau imaginant de l'Homme ne lui a servi jusqu'ici qu'à réaliser ce progrès technique. Certes, cette transformation de l'environnement a eu aussi des conséquences sur les rapports sociaux. Mais ceux-ci sont restés coordonnés par les mêmes motivations fondamentales au cours des siècles qui ont suivi la révolution néolithique jusqu'à nos jours, parce que le cerveau imaginant n'a réalisé aucun progrès dans la connaissance des mécanismes de fonctionnement de notre système nerveux. On a pu écrire : « Science sans conscience n'est que ruine de l'âme. » Il aurait été plus efficace de dire : « Conscience sans science de l'inconscient n'est que ruine de l'Homme. » Nous retrouvons encore ce que nous avons écrit bien souvent, à savoir que l'Homme s'est d'abord occupé de découvrir scientifiquement le monde qui l'entoure (et combien de millénaires a-t-il passé à cette tâche ?) avant d'aborder l'étude scientifique de lui-même. Cette dernière, dans le domaine du système nerveux, n'a vraiment commencé qu'il y a vingt ans à peine. Jusque-là, elle fut abandonnée aux discours des philosophes. Comment s'étonner dans ces conditions que, malgré le progrès technique résultant de l'étude scientifique de son milieu, aucun progrès sensible n'ait été fait dans le domaine de son comportement social ?

⁎ ⁎

Reprenons notre schéma du début. On aurait tendance à penser que c'est notre civilisation industrielle qui est responsable de nos organisations sociales contemporaines. Notons cependant que la même civilisation industrielle est assumée par le capitalisme occidental et par le capitalisme monopolistique d'État des pays de l'Est. En fait, nous avons vu précédemment que la propriété, même celle des moyens de production, paraît être un élément secondaire comparé au pouvoir de gestion du capital, qu'il soit privé ou public. Et ce qui n'a pas changé, c'est le désir de domination de ceux qui assument le pouvoir, quel que soit le régime socio-économique dans lequel ils l'assument. *Or, inversement, on peut penser aussi bien que c'est ce désir de domination qui a donné naissance à la civilisation technique industrielle.*

En réalité, c'est le cerveau imaginant qui est à son origine. Mais ce cerveau imaginant, père de la technique, est inconscient du fait qu'il est manipulé par les pulsions paléocéphaliques, dont il tente vainement de fournir une interprétation logique dans un langage strictement inadapté. Comment ce langage, déjà insuffisant pour transmettre des informations conscientes sans les déformer, aurait-il pu interpréter l'alchimie métabolique des cerveaux préhominiens ?

C'est ainsi que l'Histoire humaine a vu s'épanouir, séparément, la *construction logique* du monde non humain,

expérimentalement contrôlée, et l'*interprétation logique*
d'un monde humain dont la structure de base, neuro-
biologique, à un niveau d'organisation non inventorié,
ne coïncide jamais avec la précédente, parce qu'elle
répond à des lois structurales différentes.

Ainsi, en décrivant un groupe social « effecteur » de
la cité, nous avons abouti à la notion que son organisation avait une base génétique interne qui résulte du
mode de fonctionnement du système nerveux humain.
Cette base n'a pratiquement pas changé au cours des
siècles. Dès le néolithique jusqu'à nos jours, ont existé
une classe dominatrice et une classe dominée. Le contenu
de la propriété a pu changer, les rapports de production
sont restés à peu de chose près les mêmes.

Cependant, cette société n'est pas une société d'insectes, mais une société composée d'individus capables
d'imaginer. Or, toute l'imagination des hommes au
cours des siècles, toute cette imagination qui a abouti
à la domination de son environnement par l'espèce, à
la civilisation industrielle contemporaine, a été utilisée
en tous lieux, jusqu'ici, pour maintenir l'organisation
sociale existante. La ville elle-même, effet de l'effecteur
social, n'a fait que consolider la structure sociale née de
la révolution néolithique et orientée vers la production
de marchandises, leur échange en vue de réaliser un
profit. Elle a favorisé le dépeuplement des campagnes
à partir du moment où, grâce à elle, les outils devenus
machines perfectionnées pour travailler la terre, les
méthodes d'enrichissement et d'entretien des sols
et l'élevage, ont permis avec moins de travail humain
de produire beaucoup plus de nourriture. La densité
croissante des centres urbains qui en est résultée, la
spécialisation extraordinaire du travail, la disparition
de l'artisanat, l'anonymat, l'absence de relations interhumaines autres que celles imposées par les hiérarchies
du travail, la dispersion des contacts familiaux, la
concurrence à tous les niveaux ont favorisé, d'une part,
l'explosion technique qui caractérise la civilisation
industrielle, en poussant parallèlement jusqu'à la caricature la sclérose de la structure sociale responsable,
caractérisée par le profit pour la domination, les hiérarchies purement techniques, l'individualisme forcené.

Si bien que, reprenant notre schéma du début où
nous avons situé la civilisation industrielle comme
facteur de l'organisation sociale, nous sommes conduits

à préciser combien cette vision est imparfaite, puisqu'en réalité c'est l'organisation sociale qui paraît être le facteur de la civilisation industrielle. Mais en fait, nous réalisons maintenant que cet aspect est lui-même inexact, car la *civilisation industrielle est l' « effet » du cerveau imaginant, l'effet d'une partie seulement de l'effecteur social, une partie non utilisée par ailleurs dans l'organisation scociologique de ce dernier. Cette organisation sociologique, en effet, ne résulte que du fonctionnement déterminé de nos cerveaux préhumains.* Mais alors que n'ayant pas le même « effecteur », on aurait pu espérer que la civilisation industrielle allait pouvoir perturber, s'opposer au maintien de l'organisation sociale de classe issue du néolithique, celle-ci, en fait, a utilisé la civilisation industrielle pour se consolider.

S'il est vrai que la ville a existé avant la civilisation industrielle, la structure urbaine contemporaine n'est que l'aboutissement obligatoire de l'économie de marché, génératrice de l'accumulation capitaliste et de l'industrialisation, éléments d'expression de l'activité fonctionnelle du paléocéphale pulsionnel et de l'automatisme social; économie de marché qui, au cours des siècles, s'est constamment approprié les résultats concrets, les techniques de plus en plus raffinées du cerveau imaginant qui introduisait progressivement son ordre créateur dans le monde de la matière. On confond trop souvent science et technique, la première étant connaissance et la seconde utilisation de cette connaissance pour la confection de marchandises, l'accroissement des échanges de produits manufacturés et du profit.

Aucune société, à ma connaissance, n'a jamais construit une ville dont la structure aurait comme finalité essentielle de permettre la déstructuration de la société existante, de favoriser des relations autres que celles des classes et des hiérarchies établies, et d'aboutir enfin à un essai quel qu'il soit d'une société nouvelle, différente, reposant sur un échange d'informations par contacts journaliers directs entre différentes couches sociales, différentes activités professionnelles, culturelles, supprimant la ségrégation sociale ou raciale, confessionnelle, sexuelle ou autre. C'est toujours le contraire qu'un tel établissement a concrétisé.

En résumé, s'il est bien vrai que l'urbanisation et la civilisation industrielle ont transformé les rapports humains; s'il est vrai que la structure même de la ville transforme aussi les rapports humains; s'il est vrai que la structure de la ville dépend du type de civilisation atteint par le groupe social qui en est responsable (civilisation agricole, artisanale, marchande, industrielle) et que l'on assiste ainsi à une série de bouclages, de rétroactions refermés sur eux-mêmes, il faut bien admettre que ce système, clos dans ses régulations, *se caractérise d'une part par une invariance de structure qui est celle de la biologie stable des comportements humains qui animent le groupe social, et, d'autre part, par une source d'informations extérieure au système et qui résulte du perpétuel aménagement créateur du milieu matériel par le cerveau imaginant.* C'est d'ailleurs cela que ressent confusément notre société moderne, consciente que son développement technique n'a pas marché de pair avec son évolution dite « morale », celle des « valeurs », et qui recherche désespérément ces nouvelles valeurs, qu'elle sent nécessaires à la cohésion sociologique, dans des formules parlées ou écrites, dans des dogmes nouveaux que l'on pourrait enseigner et apprendre par cœur comme les anciens, afin de créer de nouveaux automatismes sociaux quand ce n'est pas encore dans le retour pur et simple aux automatismes qui ont prévalu au cours de millénaires défunts. Mais qui ne voit que le seul moyen de sortir du feed-back infernal de la production pour le profit, et du profit pour la domination, c'est d'utiliser un cerveau imaginant, un lobe orbito-frontal qui n'a servi jusqu'ici qu'à l'organisation technique de l'environnement, de l'utiliser à la connaissance technique de notre système nerveux et à l'organisation scientifique de nos comportements sociaux.

Il paraît évident et nécessaire, après avoir trébuché cent fois, dans la conceptualisation de l'aménagement de l'espace bâti par l'Homme, aussi bien que dans l'étude concrète des faits urbains, sur les innombrables rétro-actions qui maintiennent ou amplifient la structure du système social, de conceptualiser et de techniciser enfin l'aménagement de l'espace qui vit en nous.

L'espèce humaine terminera ainsi par où elle aurait dû commencer, mais par où elle ne pouvait pas commencer, puisque cette technique-là exige la connaissance première de toutes les techniques du monde de la matière avec quelque chose en plus qui ne consiste ni dans des langages, ni dans des signes motivés inconsciemment, mais dans des lois structurales qui pénètrent, par niveaux d'organisation successifs, la matière et la dynamique de notre système nerveux.

Ainsi, il nous paraît inutile de discourir sur les avantages et les inconvénients de la *technique*; inutile de la défendre jusqu'à la prendre pour fin, comme moyen de libération des couches sociales défavorisées, de la femme, de la ménagère, de l'Homme enfin, en prétendant qu'elle est capable de faire disparaître les luttes de classes; inutile de montrer inversement qu'elle n'est que l'expression d'une société et aboutit au maintien de la structure sociale et du pouvoir, à celui de l'idéologie dominante. Tout cela est également vrai. Ce qui est essentiel, à notre avis, c'est de comprendre que cette technique n'est ni bonne, ni mauvaise, mais insuffisante tant qu'elle n'aura pas ajouté à la connaissance et au contrôle de l'environnement inanimé, la connaissance et le contrôle du système nerveux humain. La technique qui, à ce niveau, prend le nom de « neurobiologie » doit remplacer les philosophies, les idéologies et les discours. Ces derniers ont toujours fourni une interprétation et une excuse logique à tous les comportements, d'autant plus simplement qu'ils en ignoraient les mécanismes inconscients.

Technique parmi d'autres, la sociologie urbaine ne peut évoluer et trouver sa pleine efficacité que si elle se plie elle-même à cette interdisciplinarité. Elle découvrira peut-être alors que la *finalité d'un groupe social n'est ni la technique, ni le bien-être matériel, ni l'expansion, ni le profit, ni la production, mais se situe en lui-même dans l'harmonie de rapports entre les individus qui le composent, et que cette harmonie n'est réalisable que si chacun d'eux est conscient de ses motivations instinctives, des automatismes que la société lui a imposés, et de ses possibilités de création.* Or, ces dernières ne peuvent être motivées par les précédentes, car on retombera alors dans un système bouclé dont il est impossible de s'évader. Les motivations doivent prendre leurs références en dehors du système, et la connaissance, en commençant par la connaissance scientifique, expérimentale de nous-mêmes, qui n'a jamais encore été entreprise, me paraît être une finalité susceptible de répondre aux problèmes sur lesquels la sociologie, l'économie, la politique et la philosophie ont vainement épuisé leurs discours logiques.

Quand nous aborderons l'étude de l'effet de ce groupe

social, la ville et l'urbanisme, nous verrons que rien de fondamentalement neuf ne peut être entrepris, tant les éléments du système sont étroitement dépendants les uns des autres, sans la prise de conscience indispensable des motivations neurobiologiques des comportements humains qui ont constitué de tout temps la base des rapports sociaux.

Rien ne peut être fait sans une révolution — et cette révolution c'est d'abord en nous qu'il faut la réaliser. Mais comment la réaliser sans la diffusion des informations qui lui sont nécessaires, les moyens de diffusion, de l'enseignement aux *mass media* étant la propriété d'un pouvoir en place? Faudra-t-il attendre que le système « pompe » comme un pont s'écroule au passage d'une troupe au pas cadencé? Faudra-t-il attendre, comme le prévoyait Marx, que le capitalisme s'écroule sous le poids de ses propres contradictions? Ne risquons-nous pas alors de retrouver un autre pouvoir dominateur peu favorable aux cerveaux imaginants? Il ne nous reste plus à espérer qu'en la force de persuasion des faits scientifiques pour ouvrir une voie nouvelle à l'évolution humaine. L'examen de certains arguments écologiques que nous allons envisager permet peut-être d'alimenter cet espoir.

IV

LES FACTEURS
(Les facteurs écologiques
Les besoins — Les informations)

En abordant ce que nous avons dénommé dans notre schéma du début « Les facteurs de l'effecteur : groupe social », un certain nombre de notions doivent d'abord être précisées.

La première est qu'il est souvent difficile dans un système régulé de limiter le domaine d'action du facteur, de l'effecteur et de l'effet de façon précise. Nous avons déjà rencontré un exemple de cette difficulté puisque la civilisation industrielle que nous avons considérée comme un facteur présent de l'organisation du groupe social est, en réalité, un effet de l'action dans le temps de ce groupe social. Mais nous avons vu que cette imprécision résulte du fait qu'il est le résultat surtout de la fonction imaginative, créatrice et technique de ce groupe social, fonction qui n'a pas encore eu d'influence profonde, semble-t-il, sur la structure interne de ce groupe, sur sa sociologie, si ce n'est justement par l'intermédiaire indirect de l'établissement de la civilisation industrielle.

D'autre part, les différents facteurs que nous allons envisager ne sont décrits isolément que par un besoin didactique. En réalité, ils sont en étroites relations réciproques. Les rapports écologiques, ceux du groupe social avec son environnement, sont étroitement fonction du stade d'évolution de la civilisation envisagée. Il n'est que de rappeler le rôle de la civilisation industrielle dans le problème des nuisances, donc dans la transformation du milieu et de l'équilibre écologique pour s'en rendre compte.

De même les relations existant entre les besoins et les informations du groupe social sont évidentes, ainsi que celles existant entre besoins, informations et société industrielle. Il s'ensuit que ces trois facteurs interviennent dans le problème écologique.

Enfin nous retrouverons dans l'étude des « facteurs » le phénomène que nous avons déjà signalé et que nous rappelions il y a un instant. La conscience de la majorité d'entre eux, de même que leur étude scientifique, n'est pas fonction de la structure socio-économique existante. Une des preuves les plus évidentes de cette affirmation est que cette conscience et cette étude risquent d'être des facteurs dangereux pour le maintien de la structure socio-économique envisagée. C'est ainsi que l'*écologie*, terme introduit il y a près d'un siècle par Haeckel, n'a commencé à présenter un certain impact sociologique que récemment, quand des chercheurs, bien qu'appartenant à la structure socio-économique responsable des pollutions, ont entrepris d'étudier avec des méthodes scientifiques, l'ampleur, les mécanismes et le pronostic pour l'espèce humaine de ces pollutions. Devant des faits scientifiquement établis (ils sont encore loin de l'être tous), la motivation de la domination et du profit doit s'incliner et rechercher du moins la solution capable de préserver le profit tout en diminuant les pollutions. La solution n'est évidemment pas simple. Quel cerveau rendra ce service à la bourgeoisie ?

Mais la bourgeoisie ne risque-t-elle pas, en reconnaissant le danger réel de la pollution, de faire payer à la collectivité, sous prétexte que c'est cette collectivité tout entière qui se trouve menacée, le prix du traitement de cette pollution ? Celle-ci ne résulte-t-elle pas pourtant d'une activité industrielle dont les profits sont accumulés non par la collectivité mais par la bourgeoisie ? Mais celle-ci est-elle encore maîtresse de son devenir, le déterminisme de l'expansion nécessaire à sa survie, n'est-il pas plus fort que celui de la sauvegarde d'une espèce humaine, qui n'entre absolument pas dans la programmation locale d'une activité industrielle.

Sur le plan enfin de la distinction que nous allons faire entre urbanisation et urbanisme, est-il possible de distinguer encore une bourgeoisie et un prolétariat, alors que l'un et l'autre ne peuvent envisager l'abandon d'une certaine forme de bien-être découlant de la civilisation industrielle, tandis que seule l'adoption pour l'espèce d'une autre finalité pourrait apporter un début de solution aux problèmes planétaires qui sont posés ?

ÉCOLOGIE

Dans les rapports entre l'Homme et son environnement, il y a tout d'abord deux aspects à distinguer :
a) Celui de l'individu.
b) Celui du groupe social.
On peut admettre que si l'environnement agit sur tout individu, celui-ci ne peut agir sur l'environnement de façon suffisamment importante que lorsqu'il est suffisamment nombreux pour former un groupe social. En d'autres termes, c'est le groupe social qui agit sur l'environnement, non l'individu.

On a tendance actuellement à parler de *biosphère*, celle-ci étant comprise comme la surface de contact entre l'atmosphère, l'hydrosphère et la lithosphère, interface où la vie s'est installée sur notre globe. C'est à ce niveau que les êtres vivants, des bactéries et virus jusqu'à l'Homme, entrent en relation avec le milieu inanimé et en relation entre eux. Il se constitue ainsi des *écosystèmes* où la survie de chaque élément dépend de celle d'autres éléments vivants dans un milieu adapté à leur propre adaptation entre eux.

Compte tenu de l'extrême complexité de la biosphère, de ses variations dans l'espace et le temps, de la diversité des besoins de l'Homme à son égard, il semble peu probable qu'il existe des réponses simples aux problèmes de la qualité du milieu. Il semble même qu'une approche réellement scientifique des questions écologiques doive dès l'abord mettre en garde contre une attitude affective et des jugements de valeur ascientifiques sur lesquels il est bon dès à présent d'insister.

L'un des plus banaux est évidemment de considérer que la « bonne » nature est souillée et dégradée par l'homme et ses détritus. Les psychanalystes montreraient sans doute comment un tel jugement découle directement du fond commun inconscient de la mère protectrice et nourricière et du complexe d'Œdipe. Le terme de « viol » de la nature si souvent utilisé laisse

d'ailleurs soupçonner la charge œdipienne de ce jugement de valeur, à moins que ce ne soit une survivance
de la coercition parentale qui accompagne le stade anal.

Il faut noter aussi que l'Homme n'est pas loin de
constituer l'un des principaux aspects de son environnement, en particulier dans les concentrations urbaines.
Sa structure biologique fait qu'il est beaucoup plus
sensible à son aliénation à ses semblables qu'à l'environnement inanimé des premiers âges. De là à rendre
l'espèce responsable de son inadaptation sociale, il n'y
a qu'un pas. Il le franchit souvent en regrettant un
environnement naturel disparu. Mais serait-il prêt
pour autant à abandonner pour lui les bienfaits et la
protection que l'industrialisation, qu'il maudit, lui
procure et dont il profite sans plus même en avoir
conscience ? C'est une chose de déplorer l'action néfaste
de certains insecticides sur les écosystèmes, mais c'en
est une autre pour l'humanité de ne plus connaître la
peste, le typhus, le paludisme, la fièvre jaune, etc.

Que l'homme transforme son milieu, c'est un fait.
Qu'il soit important et même essentiel de mettre en
évidence le plus grand nombre des délicates relations
existant dans la biosphère afin de préserver s'il en est
besoin le capital commun de l'espèce, c'est là une
attitude scientifique non critiquable. En déduire dès
maintenant des pronostics fortement chargés d'affectivité
et des certitudes qui, partant de la rupture évidente de
systèmes régulés ne peuvent connaître les régulations
correctrices de ces dysrégulations, pour les simples
raisons que les variables sont trop nombreuses et que
l'Homme est lui-même dans la nature et non en dehors
d'elle, donc qu'il fait ainsi partie intégrante des systèmes
régulés, est à notre sens une attitude hâtive et qui paraît
ignorer le contrôle cybernétique des processus vivants.
Qui peut dire d'ailleurs si le développement récent de
l'écologie n'est pas inscrit lui-même dans le contrôle
cybernétique de son environnement par le phénomène
humain ?

On peut regretter l'artisanat face aux « monstrueuses »
industries modernes, mais à l'extrême on peut aussi
regretter l'époque néolithique, comme certains hommes
du néolithique ont dû regretter cette bonne vieille
époque du paléolithique. Cependant, l'évolution nous
entraîne dans son déterminisme implacable, et s'adapter
ce n'est pas maintenir ou conserver. C'est trouver des

solutions toujours nouvelles aux problèmes sans cesse renouvelés, posés par l'échange énergétique entre la vie sous toutes ses formes et le milieu. Les grands sauriens du secondaire ont disparu et pourtant ils n'ont inventé aucune industrie tentaculaire, et leurs déjections n'ont sans doute pas détérioré considérablement le milieu. Lawrence Halprin [1] fournit, à notre avis, un exemple frappant de cette idée : « Le parc du Yosemite était peuplé, à l'époque précalifornienne, d'indigènes qui en tiraient toute leur subsistance, se nourrissaient de glands, tuant les daims, et vivant en symbiose avec le gibier et les récoltes sauvages dans une relation rythmique. Ce mode de vie les obligeait parfois à brûler les sous-bois. C'était une méthode courante et caractéristique de la culture indienne. Ils brûlaient le sous-bois pour l'éclaircir, ce qui leur permettait de chasser le daim dont la viande tenait une place importante dans leur alimentation. Ils brûlaient aussi pour activer la croissance et accroître la vitalité des chênes porteurs de glands. Ces incendies volontaires préservaient de vastes prairies en empêchant les résineux de les envahir et d'usurper les terres où poussaient les chênes : il en résulta une alternance de forêts et de vastes clairières.

« Quand les hommes blancs découvrirent ces paysages, ils les trouvèrent beaux et lorsqu'on y établit un parc national, la « Yosemite Valley », telle qu'elle était alors, apparut comme l'image même de la nature que chacun voulait conserver. Pendant les quatre-vingts années qui suivirent, le parc a été laissé naturel. On y a interdit le feu et naturellement la chasse, ces dégradations humaines. On a tout laissé comme auparavant à l'exception de l'homme déprédateur, les Indiens, dont l'existence était liée au milieu. D'où un changement radical dans la vallée, un changement tel que les gens commencent à s'émouvoir de la perte des points de vue, de la disparition des panoramas. Les arbres dont la croissance n'est plus contrôlée par le feu ont envahi les prairies. Les daims qui ne sont plus inquiétés par les chasseurs font disparaître les réserves hivernales. Les prairies qui ne sont plus fertilisées par les cendres ont perdu leur richesse et leur variété. Le sol de la vallée n'est plus le même.

1. *Nature et Architecture*, 1966, 2 : 5-7.

Le fait d'avoir voulu stopper l'évolution n'a servi qu'à l'accélérer, mais de façon catastrophique. »

Le principe écologique fondamental paraît donc être une continuelle instabilité, une évolution perpétuelle à laquelle l'Homme participe, sans notion de bien ou de mal, car les choses et l'évolution se contentent d'être, et ce n'est que l'Homme qui les juge, à travers la loupe déformante de ses préjugés d'époque, de race, de classe sociale, de réflexes ancestraux, de toutes ses motivations génétiques inconscientes. Le problème se pose certes, mais la solution n'est pas simple ni inscrite dans une logique de causalité à court terme, ni surtout dans un sentiment primitif de la « bonne nature » et du « méchant homme » qui la salit. Un sentiment analogue se rencontre en médecine où certains ont prétendu et prétendent encore que la fièvre est « bonne », le frisson également, de même que toutes les réactions gratuitementet anthropomorphiquement réunies sous le terme de « moyens de défense », et qu'ainsi il faut les conserver, même les protéger, voire les amplifier et les remplacer quand elles s'effondrent. Nous avons montré [1] que ces réactions ne défendent en fait que notre autonomie motrice à l'égard du milieu, notre vie indépendante mais non notre vie tout court. Ces réactions sans lesquelles la fuite ou la lutte ne pourraient se réaliser n'ont « prévu » l'apparition au cours de l'évolution, ni du chirurgien, ni même de la ville avec sa promiscuité agressive. Vouloir les conserver dans un milieu différent où elles sont devenues le plus souvent inutiles et surtout inefficaces, c'est vouloir précipiter la déchéance organique et la mort. C'est pourquoi à un problème neuf nous avons proposé une solution nouvelle qui consiste à déprimer, à inhiber ces prétendues réactions de défense. Ce fut l'objectif de la neuroplégie et de l'hibernation artificielle. Il nous paraît probable qu'il doit en être de même bien souvent en écologie. Les solutions restent à trouver.

Il s'agit donc de regarder le monde comme un vaste laboratoire et d'aborder l'écologie sans passion conservatrice, conscients des déformations affectives qu'une société petite-bourgeoise, nourrie d'un humanisme

---

1. H. LABORIT (1952), *Réaction organique à l'agression et choc*, Masson et Cie.

d'un autre âge, peut apporter à nos jugements, et surtout avec une imagination alertée par la froide constatation de faits scientifiques indiscutables, et non par les inférences sentimentales qui peuvent en découler. Les rapports de l'Homme avec son milieu ne peuvent être considérés comme un écosystème stable, il est même impossible de le souhaiter « car cela supposerait que l'aventure humaine est parvenue à son terme » (René Dubos, 1968) [1].

Enfin, il est sans doute important de relever que les structures socio-économiques interviennent indiscutablement à l'échelon *immédiat* des rapports entre les groupes humains et leur environnement; qu'une société guidée uniquement par la rentabilité et le profit se souciera vraisemblablement peu de la détérioration du patrimoine écologique à partir du moment où la technique lui procure un profit plus important. Mais que le problème se situe aussi à un autre échelon qui est celui de la *planète*. Or, à cet échelon c'est en fait la *société industrielle*, quel que soit le régime socio-économique qui la sous-tend, dont il faut envisager les rapports écologiques. Le problème se pose ainsi à un stade d'évolution technique et non pas seulement socio-économique. La seule différence probable réside dans le fait qu'il sera sans doute plus facile de faire accepter certaines contraintes d'intérêt général en économie planifiée qu'en économie dite libérale où le seul intérêt des groupes de pression commande.

Mais cette distinction nous montre l'importance qu'il paraît y avoir à distinguer les *problèmes d'écologie générale* qu'on pourrait dire planétaire, ceux qui se posent à la société industrielle de cette fin du xxᵉ siècle, et les problèmes *d'écologie locale*. En d'autres termes, nous sommes conduits à distinguer les problèmes posés par *l'urbanisation* et ceux posés par *l'urbanisme* tout en sachant que la première représente un ensemble qui comprend le second comme sous-ensemble, partie ou élément.

1. René Dubos (1968), « L'Homme et ses écosystèmes : l'objectif d'un équilibre dynamique avec le milieu, satisfaisant les besoins physiques, économiques, sociaux et spirituels », Unesco SC/bios/12, 1968.

A) Problèmes posés par l'urbanisation.

Grey Gresford'[1] rappelait récemment que la population urbaine totale des régions développées était de 260 millions d'individus en 1920 et sera vraisemblablement de 1 160 millions en l'an 2000. Elle aura quadruplé en 80 ans. La population rurale était sans doute de 415 millions d'hommes pour ces mêmes régions en 1920 et serait ramenée à 280 millions à la fin du siècle, d'où diminution du tiers.

Pour les régions sous-développées, la population urbaine pouvait être de 100 millions d'individus en 1920 et atteindrait 1 930 millions en l'an 2000. Elle aurait ainsi augmenté de vingt fois. La population rurale de ces mêmes régions était de 1 085 millions en 1920 et passerait à 2 740 millions en l'an 2000.

Au total, l'ensemble des populations urbaines pouvait être de 36 millions en 1920 et dépassera 3 milliards en l'an 2000, soit huit fois plus. La population rurale atteignait 1 milliard et demi d'individus en 1920 et dépassera ainsi les 3 milliards en l'an 2000. Elle doublerait pendant la même période.

La population des grandes villes représente donc une part croissante de la population totale tant dans les régions développées que moins développées.

Les résultats de cette urbanisation croissante et rapide se font sentir dans deux domaines que nous différencierons pour la commodité de l'étude.

a) Le domaine des rapports de l'individu avec ses semblables. C'est le *problème sociologique* dans son ensemble car l'Homme est pour l'Homme l'élément essentiel de son environnement. Nous l'avons envisagé précédemment.

b) Celui des rapports de l'espèce humaine avec son environnement non humain, animé et inanimé.

Ce dernier problème, auquel on pourrait temporairement et de façon volontairement inexacte restreindre *l'écologie,* place l'Homme dans un *espace* qui comprend le sol avec ses ressources minérales, l'eau, l'air et une vie végétale et animale. *L'urbanisation* étudiera les rap-

1. Grey Gresford (1969), « Besoins qualitatifs et quantitatifs d'espace pour la société », Unesco SCMD/9.

ports de l'espèce humaine avec cet *espace « biosphérique »* planétaire. Ces rapports sont encore insuffisamment connus.

a) *Étude des sols* comme supports de végétation;
supports d'activité industrielle et urbaine;
fournisseurs de matériaux de construction et de minerais.

Il s'agira d'une étude globale des sols en relation avec le milieu.

— Quelle est l'évolution générale du sol sous l'effet de la culture et étude des bilans (azotés, de l'eau, des matières carbonées).

— Quelle est la biologie des sols.

— Quels sont les facteurs favorisant ou limitant la production.

— Etude des conséquences d'ensemble de l'emploi des engrais.

b) *Étude des eaux* et, en particulier, de leur origine dans la biosphère — Rôle de la végétation en tant que facteur du cycle hydrologique — Etude de leur pollution, de leur épuration.

— Bilan quantitatif des eaux de surface et souterraines.

— Etude de leur stockage et des ressources globales face à l'augmentation des besoins mondiaux.

— Etude de la faune aquatique d'eau douce.

c) *Étude de la végétation.*

L'impact croissant de l'Homme sur la végétation a des conséquences sur l'équilibre des écosystèmes naturels ou artificiels.

La dégradation des sols, l'altération des cycles géochimiques, la salinisation, les changements du bilan de l'eau, ceux des rapports biotiques ont-ils, et dans quelle mesure, une incidence planétaire ou seulement locale ou régionale ? L'inventaire quantitatif et qualitatif de la végétation n'est pas encore fait.

d) *Étude de la faune* concernant aussi bien la faune *domestique*, source essentielle jusqu'à maintenant de protéines animales, que la faune *sauvage* qui est un facteur essentiel des écosystèmes. La production des espèces domestiques peut être augmentée par les techniques modernes de nutrition, de sélection et par le contrôle des maladies. En ce qui concerne la faune sauvage et la protection des espèces rares et menacées, il faut savoir que l'Homme est loin d'être le seul facteur de leur disparition. Des processus naturels d'ordre géologique, climatique, hydrologique ou biologique y contribuent, et l'Homme en s'y opposant s'oppose, notons-le en passant, à la « bonne nature ». Mais la diversité de ces espèces constitue cependant un capital génétique qui permettra peut-être à l'Homme la sélection de formes nouvelles à partir de variétés sauvages, pour l'obtention d'hybrides ou de mutants sous l'action d'agents viraux ou chimiques. En ce sens, il paraît capital de conserver le plus possible ces ressources génétiques, non comme échantillons de musée, mais bien comme matériel de base pour des transformations futures.

e) *Étude de la dégradation du milieu.*

L'Homme provoque l'apparition de déchets, et exerce ainsi une action sur les écosystèmes. Cette action n'est pas toujours désastreuse, et l'utilisation des déchets ménagers a été la source millénaire de fertilisation des terres. Mais l'urbanisation rapide pose des problèmes dont la solution exige une réponse rapide. D'autre part, la technologie chimique a donné naissance à des matières nouvelles qui résistent à la décomposition et posent donc de nouveaux problèmes. Mais évidemment la priorité accordée, quel que soit le système économique, au développement économique, sans prise en considération de ses conséquences, retarde leur solution. Les matières plastiques et les radiations ionisantes en font partie. Les produits chimiques de synthèse tels que les pesticides posent aussi des problèmes, car on ne connaît pas leur degré de toxicité à l'égard de la vie végétale, animale et humaine, non plus que les perturbations qu'ils peuvent apporter aux écosystèmes du point de vue de la lenteur de leur dégradation. Notons cependant que la résistance acquise de certains insectes à leur action montre les facultés d'adaptation des systèmes vivants aux variations du milieu. On peut espérer que l'Homme, qui est un être vivant, saura également d'une façon ou d'une autre trouver la parade à une situation nouvelle qu'il se pose lui-même du fait de son existence, de son accroissement et de son évolution.

f) *Écologie humaine.*

Ces derniers mots engagent à croire que la façon créatrice que possède l'Homme de réagir à son milieu lui permettra, lorsqu'il aura fait l'inventaire des facteurs concourant au maintien de ses conditions de vie dans un environnement dont il est lui-même l'un des premiers facteurs de variation, de trouver le moyen d'assurer sa survie. Il est peu probable que ce soit en revenant à des normes antérieures. Songeons que l'Homme de l'époque du renne a suivi cet animal amateur de toundras, lorsqu'après la dernière époque glaciaire, le recul des glaciers vers le nord fit fuir la toundra et le renne vers la bordure des régions arctiques. Ce ne sont certes pas ces populations qui furent à l'origine de l'évolution ultérieure de l'humanité, mais au contraire celles qui surent s'adapter aux nouvelles conditions de vie en zones devenues tempérées, et inventer une nouvelle industrie en dehors de celle du renne.

Il ne faut tout de même pas perdre de vue que le facteur essentiel de l'évolution extraordinaire de l'Homme au cours des derniers millénaires est essentiellement due à son imagination créatrice qui a dû, à court terme, améliorer considérablement ses conditions de vie dans la biosphère. Il serait éminemment curieux qu'ayant pris connaissance de « l'effet » d'une part, de la « régulation » d'autre part, qui semble parfois travailler en tendance et non plus en constance, il ne soit pas capable d'agir par une référence prise en dehors du système pour assurer au mieux les facteurs de sa survie et de son évolution, ce qui ne veut pas obligatoirement dire maintenir éternellement les facteurs dans un même domaine.

Il ne fera en cela d'ailleurs que se soumettre aux mécanismes de l'évolution naturelle. Rappelons encore que l'acide lactique, produit de déchet de nombreuses formes anaérobiotiques (vivant sans oxygène), est devenu plus tard un substrat (un aliment) des formes aérobiotiques, apparues avec l'augmentation de la concentration en oxygène moléculaire dans l'atmosphère terrestre. Ainsi ce déchet contenait encore beaucoup d'énergie inutilisée qui fut utilisée par les nouvelles structures « inventées » par l'adaptation au milieu nouveau. Analogiquement, on peut penser qu'il s'agit moins pour l'Homme moderne de supprimer dans tous les cas les sources industrielles de pollutions, ce qui conduirait logiquement à supprimer les industries responsables, qu'à transformer les déchets des unes en source d'énergie pour d'autres. Il est probable que

beaucoup de pollutions de l'industrie moderne constituent des pertes énergétiques encore considérables,
que notre imagination pourrait tenter de récupérer.

EN RÉSUMÉ :

Il est certain que l'Homme a su mettre en valeur et
utiliser les ressources de la biosphère pour le bien-être
de l'humanité, grâce à son action en agriculture, en
foresterie, en médecine, dans l'utilisation des ressources
aquatiques. L'humanité a amélioré *sa condition, avec
un succès dont témoigne indiscutablement l'énorme accroissement démographique.*

Mais la naissance des industries, des transports, des
communications, de l'urbanisation, aspects essentiels
de cette évolution, s'est faite en vue de l'obtention
d'*avantages immédiats* sans prendre en considération,
mais surtout sans prévoir ou connaître, les *conséquences
à long terme* des actions ainsi entreprises de l'Homme
sur son milieu.

Il n'est pas sûr d'ailleurs que ces conséquences à
long terme soient toutes néfastes à la survie de l'humanité, ni à son bien-être. Il n'en reste pas moins que les
problèmes de pollution, ou de substances radio-actives,
de substances chimiques toxiques qui viennent s'ajouter
à la biosphère doivent être étudiés scientifiquement.
L'accroissement de la concentration en anhydride
carbonique, par exemple, est un fait; sa nocivité par
contre à l'égard de l'espèce humaine est une inférence
qui ne peut être actuellement qu'affective. Le CO_2
est un élément aussi indispensable à la vie que l'oxygène,
et l'on ne peut dire actuellement si la croissance de son
taux dans l'atmosphère sera à longue échéance un mal
ou un facteur d'évolution biologique de l'espèce.

Il semble acquis que la combustion des sources
d'énergie fossiles (charbon, pétrole) ont, avec la révolution industrielle, accru la concentration du CO_2 dans
l'atmosphère. Cette augmentation serait estimée à
18 % en 30 ans [1]. Mais environ la moitié seulement
du CO_2 produit demeure dans l'atmosphère. Une partie
retourne dans la biomasse, une autre est solubilisée

1. Fred WHEELER, « The global village pump », *New Scientist*
48, 721 : 10-13.

dans les océans. On ne sait pas grand-chose sur les proportions respectives de ces différentes orientations. Qu'advient-il pour la masse globale des formes vivantes sur la terre, de la diminution de nos réserves énergétiques ? Mais très théoriquement, une hypothèse a été formulée partant de ce fait que le CO_2 est transparent aux radiations solaires mais opaque aux infra-rouges qui proviennent de la terre elle-même. Il s'ensuivrait que moins de chaleur pourrait être perdue par notre planète et que sa température pourrait s'élever de 0,5 °C pour une augmentation de 18 % du CO_2. Si cette hypothèse était vraie, il s'ensuivrait que l'espèce humaine serait capable d'altérer le climat global de la planète au cours même du XXIe siècle. Seuls des modèles d'atmosphère, avec ses nuages, ses précipitations, ses circulations et ses normes thermiques permettront de vérifier ces assertions. Mais les éruptions volcaniques les plus « naturelles » sont aussi capables d'agir sur la concentration atmosphérique en CO_2. Il en est de même pour les particules stratosphériques. L'éruption volcanique du Mont Agung, suivant Wheeler, en 1963, a provoqué une élévation de 6 à 7 °C de la température de la stratosphère équatoriale. Mais aucune variation d'importance n'a été enregistrée à la surface du globe. Un problème assez proche est soulevé par les avions supersoniques, sur lequel nous sommes aussi mal renseignés. Si les industries humaines sont capables d'influencer les climats, des perturbations telles que la fonte glaciaire et l'élévation du niveau des océans pourraient en être la conséquence.

Il est donc indispensable et urgent d'entreprendre à l'échelle mondiale les recherches nécessaires à la connaissance des faits, celles nécessaires à mettre en évidence leurs interrelations dynamiques, celles enfin capables d'en freiner les conséquences, non par simple phénomène de causalité, mais de façon beaucoup plus complexe par systèmes de corrélations hiérarchisées. La création de modèles sera sans doute nécessaire, la recherche interdisciplinaire obligatoire, la mise en ordinateurs pour le traitement des informations inévitable.

L'étude d'un écosystème isolé, étude analytique, est incapable de fournir un renseignement valable sur les rapports et sur les conséquences globales de ses variations ou perturbations sur l'ensemble de la biosphère. Une étude synthétique généralisante doit obligatoirement suivre l'étude analytique. L'étude des interactions de la masse d'ensemble des végétaux et des animaux, ses variations dans le temps, leur importance et leurs facteurs, la façon dont se répartit l'énergie solaire, source primitive de tous ces écosystèmes, doit être envisagée en même temps que nous focaliserons notre attention sur un écosystème isolé, aussi intéressant qu'il puisse paraître. Mais il est peut-être intéressant aussi de noter que ce problème *écologique*, essentiellement *énergétique*, puisque, comme nous venons de le signaler, il résulte entièrement de la transformation de l'énergie solaire, risque d'être profondément bouleversé à partir du moment où l'Homme saura utiliser à volonté l'énergie de l'atome, qui le libère de l'énergie solaire. Jusqu'ici le pétrole, la houille, l'énergie hydraulique et celle des océans, toutes les forces utilisées par l'homme étaient issues plus ou moins directement de la transformation de l'énergie solaire. A partir du moment où une source d'énergie est utilisable qui ne dépend plus d'elle, toutes les formes et toute la dynamique hiérarchisée de la vie elle-même sur notre globe risquent d'en être bouleversées.

Le problème des pollutions et des nuisances risque non pas de disparaître mais d'être complètement transformé. Ces problèmes se réduisent en effet à un problème de source, de transformation et d'utilisation de l'énergie. Source, transformation et utilisation de l'énergie ne seront vraisemblablement plus les mêmes à partir de la généralisation de l'emploi de l'énergie atomique. L'agriculture elle-même, c'est-à-dire l'exploitation par l'Homme de la vie végétale, dont la source est encore le photon solaire, en sera sans doute profondément transformée.

B) Problèmes posés a l'écologie urbaine.

Si l'écologie se dévoue à l'étude des interactions diverses qui s'établissent entre les êtres vivants et leur milieu, de même qu'aux interactions entre individus de la même espèce, comme pour le citadin l'environnement physique est représenté par l'espace bâti, la ville, et l'environnement vivant par ses concitoyens, en parlant d'écologie urbaine on parle tout simplement d'urbanisme.

Il est difficile d'aborder ce problème sans le placer sous le signe du ou des « besoins », comme les inter-relations entre les facteurs que nous soulignions plus haut l'exigent. Mais devant étudier le facteur « besoins » plus tard, nous nous limiterons ici à utiliser du concept du besoin ce que nous en avons déjà exploré dans un chapitre précédent.

Si nous replaçons les besoins sous la dépendance de nos diverses structures nerveuses centrales, qui les contrôlent effectivement, nous rappellerons que le cerveau reptilien, celui des automatismes innés, assume la responsabilité de satisfaire aux besoins élémentaires : la faim, la soif, l'accouplement, par l'intermédiaire de la lutte et de l'agressivité fondamentale, cette agressivité sans haine dont nous avons parlé. L'urbanisation pour l'Homme moderne rend pratiquement sans objet cette activité hypothalamo-réticulaire. La protection contre l'environnement hostile est assurée par l'ensemble social auquel il appartient, contre un travail spécialisé qui ne présente aucun rapport direct, aucune relation de causalité évidente avec cette protection. Dans les sociétés industrialisées et urbanisées, il a de moins en moins fréquemment aujourd'hui l'occasion d'agir au jour le jour pour assurer directement son approvision-nement en nourriture, sa protection contre le froid. L'immeuble assure sa protection contre les intempéries, l'habillement sa protection contre la déperdition ther-mique. Les rapports entre sexes posent seuls encore des problèmes directement en rapport avec les zones hypo-thalamo-hypophysaires, d'autant plus qu'en ce qui les concerne, les automatismes sociaux qui facilitent l'assouvissement des besoins précédents ne font que les limiter, les canaliser ou les interdire. On conçoit combien la naissance de la ville a été importante dans cette inutilité secondaire d'une structure nerveuse dont le fonctionnement se trouve ainsi en grande partie réduit au rôle de signalisation d'un besoin immédiatement comblé par l'ensemble social, sans qu'une stratégie de l'action doive obligatoirement en découler.

Les besoins du citadin seront donc essentiellement gouvernés par le système limbique, le cerveau de l'apprentissage et de l'affectivité, celui des automatismes acquis. Les besoins de l'homme moderne lui sont essen-tiellement suggérés par son environnement social. En apparence, chaque individu semble désirer posséder les

signes, les objets et les comportements de la classe
qui le domine et à laquelle il souhaite appartenir.
C'est apparemment la tendance fréquente du matéria-
lisme bourgeois. En réalité, nous verrons en traitant de
la diffusion des informations que la société bourgeoise,
et nous entendons par là toute société dans laquelle la
motivation fondamentale est le profit pour la domination,
ne diffuse que les informations lui permettant de se
maintenir. Or, pour se maintenir, elle doit vendre, d'où
le mythe de l'expansion continue. Pour vendre, elle
doit produire exclusivement des objets qui s'achètent
d'une part, et faire participer la masse des producteurs
à ces achats.

Il résulte de cet enchaînement impératif que pour
survivre elle doit créer dans le système nerveux de tous
les individus qui la constituent, quelle que soit la classe
sociale à laquelle ils appartiennent, des automatismes
basés sur des jugements de valeur qu'elle croit elle-même
être des choix. Elle y parvient d'autant plus facilement
aujourd'hui que la diffusion des informations est plus
rapide et que les moyens de diffuser ces informations
sont plus nombreux. La technologie a réalisé là sa plus
belle performance. La publicité par l'affiche, la presse,
la radio, la télévision n'a qu'une finalité : créer des automatismes. Bien plus, tout ce qui est vu ou entendu ne
vise qu'à créer une conception générale de la vie humaine
orientée vers la notion que le bonheur s'obtient en
consommant.

La ville est évidemment le lieu favorable pour créer
les automatismes aboutissant aux besoins. La concentration urbaine permet de faire connaître, donc faire
désirer plus facilement; elle permet aussi une comparaison plus facile. Elle place quotidiennement sous les
yeux l'objet connu, puis désiré que possède déjà l'autre
et la satisfaction qu'il en éprouve. La ville est aussi le
lieu où s'effectue la vente des objets, que la publicité
a fait connaître et dont la connaissance a créé le besoin.

Les besoins évoluent. Certains qui nous paraissent
essentiels aujourd'hui pourront sembler tout à fait
secondaires aux générations qui viendront. Il ne faudrait
pas croire qu'il s'agira forcément d'un progrès, d'un
progrès de la conscience de nos besoins. Simplement,
le milieu social se sera modifié et aura imposé d'autres
automatismes. Il se peut que l'on assiste à la disparition
de la voiture individuelle, si un autre moyen de locomo-

tion permet de faire des profits plus importants ou si la circulation devient impossible. À moins que l'industrie automobile, pour continuer à faire ses profits, considère qu'il est encore préférable d'investir dans la construction d'autoroutes, par exemple, qui peuvent constituer d'ailleurs une autre source de profits à plus longue échéance. Pourquoi n'assisterions-nous pas alors à une concentration monopolistique de l'industrie automobile, des réseaux routiers et de l'industrie hôtelière sur les nouveaux axes routiers ouverts à la circulation ? Tout cela dans un seul but : empêcher la disparition de l'industrie automobile, assurer même son expansion en augmentant ses profits.

Le cerveau associatif sera d'autant plus efficace, nous le savons, que l'environnement sera plus riche ; en d'autres termes, que les faits mémorisés seront plus nombreux et de sources plus diverses. Chez l'animal même, un milieu « enrichi » par l'homme dès la naissance donne de plus grandes possibilités à l'âge adulte pour résoudre les problèmes de labyrinthes posés également par l'homme. L'animal sauvage est capable de plus d'adaptations originales aux variations du milieu que l'animal domestique. Le milieu urbain fut au début un milieu plus favorable à l'imagination humaine que le milieu rural. Aujourd'hui, le développement des techniques d'exploitation dans les pays développés étouffe aussi bien toutes les facultés créatives en milieu rural qu'en milieu urbain.

Mais la ville, qui fut longtemps un lieu de rencontres et de fermentation imaginatives pour des couches extrêmement variées de la société, ne l'est restée que pour quelques privilégiés non de la fortune, mais de la culture interdisciplinaire. Les autres sont, dans les villes, comprimés dans le moule commun des automatismes et du conformisme utilitaire de l'idéologie dominante. Toutes les possibilités, décrites précédemment, d'engrammation standardisée des systèmes de mémorisation, et d'affectivité inconsciente réglée par les préjugés et les jugements de valeur nécessaires au maintien de la structure sociale, vont intervenir superbement pour stériliser l'activité fonctionnelle du cerveau imaginant. Toutes ces possibilités centralisées, développées, industrialisées, étatisées, technicisées par la ville, prendront l'enfant à la naissance et supprimeront chez lui toute originalité conceptuelle, tout essai d'improvisation hors

des schémas comportementaux florissants. La diversité
indispensable à l'évolution biologique, la diversité des
informations, la diversité de leur source, avant tout
nécessaires à l'évolution psychique de l'Homme, dis-
paraîtront. Son cerveau sera enrichi uniquement des
informations nombreuses, fournies sans ordre, techni-
quement utilisables dans une activité professionnelle
immédiate, et de slogans, d'idées toutes faites visant à
créer les automatismes conceptuels exigés pour que le
moins de perturbations possible puisse en résulter
pour l'idéologie dominante. C'est dire que la ville sera
le lieu privilégié pour assister à l'agonie de l'évolution.

« Il deviendra de plus en plus difficile, étant donné la
conformité culturelle et l'enrégimentation sociale progressives qu'entraîneront la monotonie sournoise d'une
vie trop organisée et trop dominée par la technique,
la standardisation des systèmes d'éducation, l'information de masse et le caractère passif des activités de
loisir, d'exploiter pleinement la richesse biologique
de l'espèce humaine et l'évolution future de la civilisation pourra s'en trouver ralentie. »

Ce n'est pas moi qui le dis, mais le professeur René
Dubos, à l'Unesco, en 1968, qui continuait :

« Il nous faut fuir autant l'uniformité de notre environnement que la conformité totale en matière de
comportement et de goûts. Nous devons au contraire
chercher à diversifier autant que possible les milieux
où nous vivons. La richesse et la diversité des milieux
physiques et sociaux constituent un aspect essentiel
du fonctionnalisme, que ce soit en matière de planification des zones rurales et urbaines, de conception de
l'habitat ou de l'aménagement de la vie privée.

« La diversité peut entraîner une certaine perte
d'efficacité mécanique et administrative et elle augmentera certainement les tensions mais, et c'est là le plus
important, elle contribuera à constituer les diverses
couches de terre qui permettront la croissance des germes
dormant actuellement au plus profond de la nature
humaine » (René Dubois). Si les partisans de l'ordre
établi, les anticasseurs, pouvaient entendre cette voix
d'un savant sage, vieilli par l'âge mais si jeune encore
en ce qui concerne la fonction de son cortex associatif !

Ce que René Dubos ne dit pas, et ce dont nous sommes
maintenant persuadés, c'est que ce conformisme est
bien le résultat d'une culture, c'est-à-dire celui du fonc-

tionnement comportemental paléocéphalique et inconscient des sociétés humaines, ignorantes encore des hiérarchies fonctionnelles établies dans le système nerveux des hommes qui les animent. Que l'on soit ministre, professeur de faculté, technicien, ouvrier spécialisé ou manœuvre, l'ignorance de ces mécanismes hiérarchisés n'aboutira jamais à autre chose qu'à ce type de société bloquée, dans lequel le cortex imaginant ne peut servir qu'au développement de la technique, et le paléocéphale au maintien des structures sociales existantes. D'où la confusion persistante entre progrès technique et évolution humaine. L'une n'est pourtant pas inhibitrice de l'autre, et au lieu de continuer à les laisser s'ignorer, nous pourrions faire quelques efforts pour les rendre complémentaires.

« Aucun doute n'est possible, en tout état de cause, quant à l'atmosphère stérilisante de nombreux ensembles d'habitation modernes, qui sont hygiéniques et rationnels mais ne favorisent absolument pas l'épanouissement des virtualités humaines. Un peu partout dans le monde, on organise des ensembles comme s'il ne s'agissait que de loger des gens parfaitement interchangeables dans des espèces de petites cages bonnes à détruire après usage. Quel que soit leur patrimoine héréditaire, la plupart des jeunes qui auront grandi dans un milieu aussi terne, et dont l'expérience de la vie aura été extrêmement limitée, pâtiront d'une sorte de manque qui se traduira par une paralysie intellectuelle et mentale » (René Dubos, *loc. cit.*).

C'est exprimer sous une autre forme ce que l'expérience démontre, à savoir que pour imaginer, pour vivre en homme, c'est-à-dire en utilisant la partie antérieure de son lobe orbito-frontal, il est nécessaire que les éléments engrammés dans la mémoire, et qui constitueront le matériel à associer de façon originale, soient eux-mêmes diversifiés, multiples et non fournis de façon « monotone ». Il ne faut pas non plus qu'à partir de ce matériel des automatismes comportementaux soient créés, qui bloqueront ensuite définitivement toute possibilité d'invention, toute possibilité de comportement original.

Mais il ne suffit pas de constater, de déplorer et de souhaiter autre chose. Quel déterminisme a conduit à un tel état de choses ? La civilisation industrielle ? Bien sûr. Mais comment celle-ci est-elle née ? Comment s'est-elle épanouie ? Nous renvoyons aux chapitres précédents pour la réponse. Le grand ensemble n'est qu'un des moyens employés par une société d'une époque pour maintenir sa structure. La source est sociologique, l'action passe par un moyen d'expression, un certain type d'urbanisme, la finalité nous le verrons plus tard est toujours la même, le profit maximum, puisque la structure sociale est liée à l'expansion économique.

L'urbanisme exprime donc la finalité globale d'une société. Plus tard, en étudiant la cité, nous verrons comment la structure de la ville permet, souvent en pleine inconscience et sous le couvert parfois de sentiments philanthropiques ou d'un humanisme bourgeois, d'entretenir ou de développer la domination de classe, l'isolement des couches sociales et l'aliénation des individus, quelle que soit la classe à laquelle ils appartiennent, à un mythe, celui de la production pour la production.

★ ★

Il y a un aspect écologique qui domine l'installation spatio-temporelle de la ville là où elle s'est fixée. Il est certain que des premiers villages néolithiques à nos jours, les groupes humains ne se sont pas fixés au hasard à la surface de la planète. A l'époque des débuts de l'agriculture, les premières cités sont apparues dans les plaines entourant les deltas fluviaux. Cela résultait du fait que l'irrigation y était plus facile et les terrains alluvionnaires plus riches. Les deltas du Nil, du Tigre et de l'Euphrate sont bien connus comme ayant été à l'origine de notre civilisation. Puis, lorsque les réserves ont été suffisantes pour que des échanges deviennent utiles au développement des cités, d'autres considérations écologiques rentrèrent en ligne de compte : la situation de la ville au niveau de lieux de passage et de migration, au croisement de plusieurs vallées, au débouché d'une faille montagneuse sur la mer. La mer, c'est elle surtout qui devint pour certains peuples la route perpétuellement ouverte sur des mondes inconnus, la route ouverte aux échanges. Les Phéniciens furent parmi ces premiers marchands navigateurs qui n'exportaient sans doute pas que leurs propres surplus, encore que les cèdres du Liban fussent une matière première fort appréciée, mais qui jouèrent en quelque sorte ce rôle d'abeilles butinant de cité en cité et fertilisant de leurs pattes alourdies de pollen culturel les groupes humains dispersés autour de la Méditerranée et des côtes de l'Atlantique oriental. Ces peuples ont permis de réaliser la diversité des milieux culturels par les échanges d'informations et, en conséquence, ont dû avoir un rôle considérable dans l'évolution des techniques. C'est ce rôle qui sera repris plus tard par les cités grecques, et planifié, uniformisé, standardisé, industrialisé, institutionnalisé, bureaucratisé par la Paix romaine : ce monde était alors prêt à mourir, pour retrouver une nouvelle jeunesse créatrice dans le désordre et « l'obscurantisme » du Moyen Age — d'où surgira la poussée évolutive de la Renaissance.

Toutes les grandes cités de notre époque moderne ont eu une genèse commandée par leur situation géographique, écologique dirons-nous. Mais comme l'échange des marchandises n'a pas tardé à dominer les sociétés humaines, et nous savons pourquoi, les cités dont la grandeur et la domination se sont maintenues à travers les siècles sont justement celles dont la situation géographique facilitait les échanges. Bien sûr, certaines ont dû leur temporaire importance au fait qu'elles commandaient un lieu de passage pratiquement obligé pour les invasions. Elles durent ainsi pendant des siècles leur hégémonie au fait qu'elles représentaient un point particulièrement invulnérable, et qu'elles étaient susceptibles de défendre, de protéger une vaste région environnante. Places fortes situées sur un point culminant, ou à la rencontre de plusieurs vallées. Cette fonction stratégique a parfois présenté un intérêt décroissant à mesure que la technique de la guerre se transformait. Parfois cette fonction privilégiée s'est trouvée combinée à une situation marchande également privilégiée, et la ville est passée de sa situation de place forte à celle de place marchande. Sa situation, enfin, pouvait être le débouché commercial de régions dont les activités productrices étaient plus ou moins riches et différenciées : régions agricoles ou minières, régions d'élevage ou d'artisanat spécialisé. La présence de voies fluviales et de routes naturelles permettant la diffusion des ressources et productions locales ou régionales fut souvent à l'origine de la richesse et de l'importance d'une cité. Celles-ci ont donc joué le rôle évolutif primordial que l'on était en droit d'espérer d'elles : elles ont servi au mélange des activités humaines et des races, à la diffusion des connaissances, elles ont constitué ce milieu diversifié souhaité par René Dubos, ce creuset bouillonnant où les objets résultant des activités humaines, aussi bien que les concepts issus de quelques cerveaux imaginants, pouvaient se rencontrer et se fertiliser au cours des âges, permettant les associations imaginatives de plus en plus riches, de plus en plus complexes, permettant en réalité l'évolution humaine. Il est certain que la cité a joué tout au long de cette évolution, et jusqu'à une époque récente, ce rôle fondamental. Mais on comprend qu'elle l'a joué tant qu'elle a permis le mélange, le contact de sources informatives d'origines différentes, d'individus de couches sociales, de races, de cultures variées. La cité n'a mérité ce nom qu'aussi longtemps qu'en son sein, l'aristocrate a côtoyé l'artisan, le marchand le lettré, le manœuvre le bretteur, le fonctionnaire, l'architecte, etc. Aussi longtemps que la ségrégation des couches sociales ne s'est pas imposée à la structure urbaine.

Avec la révolution industrielle, certaines cités perdirent de leur importance du fait que leur finalité ne correspondait plus à l'évolution des sociétés contemporaines ; d'autres au contraire en acquérirent qu'elles n'auraient jamais pu espérer. Au cours de la période contemporaine, les sources d'énergie ont changé. Après le charbon qui fut à l'origine de la réussite industrielle de certaines nations ou de certaines régions, ce fut le pétrole. Aujourd'hui, le problème se pose aux nations industrialisées dont les sources d'énergie résidaient généralement dans leur propre sous-sol avec le charbon, de conserver, aux meilleures conditions pour le profit monopoliste privé ou d'État, leur source d'approvisionnement en pétrole dont leurs sous-sols ne sont généralement pas particulièrement riches.

La localisation des minerais a également, sur l'évolution des cités, joué un rôle considérable dès le début de la révolution industrielle. Mais alors des rapports nouveaux sont apparus.

En effet, aussi longtemps que les civilisations furent essentiellement agricoles, c'est-à-dire jusqu'à une époque très récente, chaque région pouvait plus ou moins vivre en autarcie, possédant sur son propre sol ses moyens essentiels d'existence, plus ou moins abondants, plus ou moins variés suivant la richesse de son sol à l'égard de l'agriculture et de l'élevage. Si les échanges existaient, ils ne répondaient généralement pas à des « besoins fondamentaux » dont nous avons vu le peu de signification dès l'explosion de la révolution néolithique qui les a satisfaits. Les échanges ont donc correspondu très tôt aux besoins créés par les automatismes sociaux, et l'on imagine le rôle tenu alors par la cité, lieu de diffusion de la connaissance des objets inconnus, venant de régions et de civilisations différentes.

Mais avec la révolution industrielle est apparue une interdépendance régionale. Dès lors qu'une région se consacre, par exemple, à l'extraction d'un minerai, elle doit faire confiance à une autre région pour la production de ses substrats alimentaires. La division du travail, qui fut la conséquence de la révolution néolithique et la raison majeure de l'apparition des cités, se retrouve ainsi à un échelon d'organisation plus élevé, celui des régions. Une région devient tributaire d'autres régions, du fait de la spécialisation du travail humain qui la caractérise, comme l'individu devient tributaire des autres individus du groupe social auquel il appartient dès qu'il ne peut plus seul assurer la satisfaction entière de tous ses besoins. Ainsi envisagée, la révolution industrielle fut bien l'équivalent, à un niveau d'organisation plus complexe, de la révolution néolithique. Le même type de déterminisme l'a commandée. L'évolution complexifiante résulte encore, à ce niveau-là, de la spécialisation et de l'addition, de la symbiose. Il en résulte aussi l'apparence de ce que l'on pourrait appeler une mutation, en ce sens que les ensembles antérieurs se désunissent et que des ensembles nouveaux font leur apparition.

Nous en constatons l'exemple sous nos yeux, avec la naissance inéluctable d'un grand axe allant de la mer du Nord à la Méditerranée, et unissant les bassins de l'Escaut, du Rhin et du Rhône, avec l'unification des régions industrielles localisées sur les deux rives, et un grand mouvement d'échange Nord-Sud assez peu habituel en Europe occidentale où l'orientation Est-Ouest des chaînes de montagnes avait jusqu'ici orienté toutes les activités humaines dans une vaste poussée parallèle et non méridienne. La conséquence d'une telle transformation des relations interhumaines est que les limites administratives qui avaient dominé les structures nationales antérieures tendent à disparaître. Ces structures nationales résultaient elles-mêmes d'impératifs défensifs liés à l'aspect géologique des limites territoriales. Un fleuve, une chaîne de montagnes, une vallée constituaient une limite stratégique beaucoup plus importante pour la constitution des ensembles nationaux dès lors que la spécialisation des activités régionales n'existait pas encore, et que la prédominance généralisée des activités agricoles permettait à chaque région de subvenir à ses besoins essentiels.

On peut même se demander si la centralisation administrative si rigide d'un pays comme la France n'a pas été à la fois la conséquence et la cause de son industrialisation relativement tardive. Des régions comme la Bretagne et la Provence pouvaient parfaitement vivre et ont, en réalité, vécu pendant des millénaires sans complémentarité. Du fait que l'agriculture et l'élevage furent les deux premières mamelles de la France, son unification par nos rois jusqu'à l'époque napoléonienne ne pouvait être qu'autoritaire et exigeait une centralisation administrative et coercitive. L'unité nationale ne s'est pas réalisée sur une interdépendance interne nécessaire des éléments de l'ensemble, mais *contre* les ensembles extérieurs à l'ensemble national, qui risquaient d'en détruire la fragile harmonie. Il semble que la moindre rigidité de l'administration de pays comme l'Angleterre résulte du fait, sans doute, qu'étant une île, son unité interne était plus logiquement indispensable, mais aussi que son industrialisation plus précoce a exigé une complémentarité effective des régions, avec moins d'autoritarisme bureaucratique. Il semble que de nos jours la régionalisation doive s'inspirer bien moins d'une structuration interne issue des normes des siècles passés, que d'une structuration à l'échelle européenne, voire mondiale, des rapports prévisibles ou souhaitables des sous-ensembles régionaux avec les ensembles géo-climatiques et socio-économiques beaucoup plus vastes qui les entourent. De la rapidité croissante des moyens de communication et d'échanges, il résulte que pour les régions comme pour les individus notre prochain n'est pas toujours le plus proche, mais celui dont l'activité peut être complémentaire de la nôtre. La recherche scientifique à l'échelle mondiale en fournit des exemples journaliers évidents.

Si l'on s'en tient à l'analogie de l'évolution complexifiante des formes vivantes, il n'y a rien dans cette spécialisation régionale et dans cette symbiose par complémentarité fonctionnelle qui puisse *a priori* nous surprendre et surtout nous inquiéter. L'inquiétude par contre peut naître du fait que, là encore, deux processus différents évoluent parallèlement ou, plus précisément, évoluent à des vitesses différentes. Le processus économique est fonction de l'évolution technique, fonction de l'emprise croissante du cerveau imaginant sur l'environnement matériel. Mais le processus sociologique, bien que profondément transformé dans sa structure par le précédent, demeure encore sous l'entière dépendance d'un système nerveux primitif, fonctionnant de façon inconsciente comme il le fait depuis les origines de l'Homme. La technique ne s'est pas encore penchée sur lui, et le comportement de l'Homme moderne en société reste encore dominé par des pulsions primitives et des automatismes acquis. Toute la finalité de la technique bouillonnante de l'époque moderne s'est ainsi mise au service de ce cerveau préhumain qui continue, à travers les siècles, à trouver des alibis logiques dans des philosophies et des valeurs qui ne sont que l'expression falsifiée d'un inconscient inexprimable dans nos langages et nos syntaxes raisonnants.

Le mythe paléocéphalique de l'expansion et du profit a progressivement fait disparaître le rôle fondamental de la cité. Ce lieu de réunion et de mélange, de diversification, est devenu au contraire le lieu de création des automatismes et de l'uniformité.

« Le désir d'enrichissement et la volonté de puissance de la première période aventurière du capitalisme trouvèrent à s'y satisfaire, de même que la recherche du luxe et de la sécurité du capitalisme du bien-être, et le désir à la fois de sécurité et de puissance du capitalisme monopoliste d'État des pays que l'on appelle communistes » (Lewis Mumford, *loc. cit.*). Lewis Mumford continue d'ailleurs par une analyse lucide de cette évolution :

« Cherchant à dominer le pouvoir politique afin de s'assurer l'avantageux privilège de la répartition des profits, propriétaires, industriels, financiers, constituaient une coalition puissante. Des hommes placés aux postes clefs de la puissance gouvernementale « défenseurs des intérêts de la nation » les confondaient pratiquement avec les intérêts particuliers des industriels et des grands financiers, faisant valoir, comme le remarquait

Cecil Rhodes, que tout doit être subordonné aux impératifs de l'expansion » (Lewis Mumford) [1].

Nous verrons plus tard, en abordant le problème de l'aménagement de l'espace urbain, le rôle de la concentration de la puissance financière dans les banques nationales ou privées : l'utilisation par celles-ci de leurs avoirs dans l'achat de propriétés immobilières urbaines en plus-value constante. D'où l'intérêt d'accroître la congestion urbaine, l'élévation du prix des loyers, le rejet des couches laborieuses à la périphérie urbaine, dans les banlieues dortoirs.

« Paradoxalement un tel système, fondé sur l'expansion, ne cesse de se scléroser et devient de moins en moins capable de faire face à des situations nouvelles » (Lewis Mumford, *loc. cit.*). En termes neuro-physiologiques, cela veut dire qu'un tel système, de moins en moins diversifié, de plus en plus automatisé, devient de moins en moins capable d'associations créatrices sur le plan de sa structure sociologique. Comme celle-ci commande à la structure organisatrice de l'espace bâti, cela veut dire que, en dehors d'une référence prise hors du système, hors d'une autre finalité, une régulation en constance le conduira tôt ou tard à sa propre destruction.

Les organismes monopolistes regroupent les entreprises, organisent des chaînes d'hôtels ou de magasins, dont ils drainent les bénéfices. Puis ils doivent contrôler la publicité, les informations, dont nous parlerons dans un prochain chapitre, les périodiques et surtout les moyens audio-visuels si puissants pour conditionner l'opinion : la radio et la télévision. Ils contrôlent alors le marché intérieur, créent les besoins, les comportements, les concepts, et conditionnent enfin un peuple entièrement automatisé, uniformisé, homogène, incapable de penser par lui-même, enchaîné par ses besoins créés de toutes pièces, mais malléable, aliénable au profit et à l'expansion, soumis, aimant cet ordre nouveau, sans vague, mais aussi sans horizon.

« L'appétit de puissance, l'avarice et l'orgueil sont des éléments moteurs essentiels dans un régime de dominance de la métropole » (Lewis Mumford). Même la

1. On aura intérêt à lire entièrement ce remarquable passage du non moins remarquable ouvrage de Lewis MUMFORD : *La cité à travers l'Histoire*, pp. 660 à 702. Éditions du Seuil, 1964, pour la traduction française, éd. originale, 1961.

philanthropie n'est le plus souvent que l'expression camouflée de ce comportement limbico-hypothalamique et le moyen de s'attirer la reconnaissance des foules, tout en soustrayant une partie des profits à la mainmise de l'État.

« Ainsi tout ce qui est local, faible, personnel, indépendant paraît irrémédiablement condamné » (Lewis Mumford). Tout ce qui est « autre » pourrait-on dire, autre que le produit des chaînes de programmation qui façonnent dans la métropole la personnalité humaine. La programmation contrôle la production, les prix, la littérature et les idées — et le pouvoir qui la détient ne se propose pas « d'autres buts que son efficacité et son propre affermissement ».

La technique qui s'épanouit dans l'électronique et les ordinateurs tend à contrôler entièrement l'espace urbain comme le fonctionnement des cerveaux primitifs. Une seule petite flamme d'espoir subsiste dans le fonctionnement non encore contrôlé du cerveau imaginant, non point dans son utilisation en vue d'améliorer la technique, mais dans la démystification des motivations paléocéphaliques, la mise à nu de leurs mécanismes biochimiques et le contrôle pharmacologique ou culturel de leurs déterminismes ancestraux. Il est grand temps que son règne arrive.

LES BESOINS

Toute forme vivante a « besoin » de l'énergie solaire pour maintenir sa structure. La caractéristique fondamentale des formes vivantes réside dans les relations des éléments matériels qui s'organisent dans leur sein, autrement dit dans leur structure, continuellement soumise au deuxième principe de la thermodynamique, à l'entropie. Le maintien de cette structure exige de l'énergie qui est fournie à travers la photosynthèse par l'énergie solaire. Celle-ci représente bien le « besoin » fondamental sans lequel aucun autre besoin ne prendrait naissance.

Les concentrations des ions de chaque côté de la membrane cellulaire, la sélectivité des membranes à leur égard, la polarisation électrique de ces membranes

qui en résulte, aussi bien que toute l'organisation stable
bien qu'en perpétuel remaniement (turnover) des usines
chimiques microscopiques auxquelles on peut comparer
les cellules, ont « besoin » des substrats alimentaires,
porteurs de cette énergie photonique solaire transformée
en énergie chimique, pour subsister [1].

Un organisme pluricellulaire a non seulement « besoin »
de cette même énergie pour assurer le maintien des
structures cellulaires qui le composent, mais cette
énergie lui est aussi indispensable qu'à l'être unicellulaire pour assurer ses « fonctions » qui aboutissent
toutes non seulement au maintien de la structure
cellulaire, mais encore à celui de la structure organique. Celle-ci est assurée par la persistance dans le
temps des relations existant entre les éléments cellulaires qui contribuent à la formation de l'organisme.
La spécialisation cellulaire fonctionnelle qui apparaît
avec lui ne change rien à cette exigence. Il aura
ainsi fondamentalement besoin de cette énergie solaire
transformée en énergie chimique pour se déplacer et
se reproduire. La fonction de nutrition passe du plan
cellulaire au plan organique. Nous savons que très vite
la coordination de ces fonctions variées fera appel à
un système nerveux d'abord rudimentaire puis de plus
en plus complexe, lui permettant d'entrer en rapports
sensoriels avec l'environnement, puis d'agir sur celui-ci
au mieux du maintien de sa structure.

Le cerveau reptilien assurera les premières coordina-
tions entre l'organisme et son milieu environnant, et
lui permettra la recherche et l'absorption des substrats
alimentaires, nécessaires aux fonctions de survie structurelle et de reproduction. A ce stade, on le conçoit, les
les besoins sont simples et stéréotypés, et l'on peut,
comme nous l'avons déjà signalé, les définir comme
« la quantité d'énergie et d'information nécessaire au
maintien d'une structure ».

Mais quelle que soit l'évolution des organismes vers
la complexité au cours de l'évolution des espèces, cette
définition restera valable.

Avec l'apparition du cerveau des vieux mammifères,
de la mémoire et des automatismes sociaux, les besoins
énergétiques de l'ensemble organique gouvernés par

    1. H. LABORIT (1963), *Du Soleil à l'Homme*, Masson et
Cie, Paris.

le cerveau reptilien resteront les mêmes. Mais il s'y ajoutera une nouvelle espèce de besoins. Si nous admettons que toute expérience mémorisée est liée à une synthèse protéique « de novo » au sein même des neurones mis en jeu par cette expérience, on peut admettre qu'une nouvelle structure prend ainsi naissance, qui exigera pour son maintien une certaine quantité d'énergie. L'habitude et la mémoire créent des besoins. On comprendra mieux ce processus en parlant du « besoin » d'un toxique comme la morphine quand son administration a été répétée. La dépendance par rapport au toxique, de même que l'accoutumance sont bien liées à la synthèse cellulaire de protéines nouvelles, en particulier d'« enzymes métabolisant les drogues », puisqu'en interdisant cette synthèse par un procédé pharmacologique on interdit parallèlement l'accoutumance et la dépendance, en d'autres termes l'accoutumance et le besoin.

La psychanalyse a lié la notion du besoin à celle du plaisir qui résulte de son assouvissement. L'équivalent biologique et surtout neuro-biologique de cette notion fondamentale est la tendance à la dépolarisation (autrement dit à la déstructuration) d'une cellule privée de son approvisionnement en substrats énergétiques et sa repolarisation, sa mise au repos quand, ce substrat lui étant fourni, le métabolisme cellulaire a pu, grâce à la synthèse d'A.T.P., lutter contre les déplacements ioniques (pompes ioniques) et la dégradation protéique progressive.

Les structures nerveuses peuvent se complexifier, se superposer, le mécanisme restera probablement toujours le même. Cependant un phénomène essentiel pourra dans ce cas apparaître, l'antagonisme fonctionnel entre les structures instinctives, hypothalamiques, les « besoins » fondamentaux et les structures mémorisées, limbiques, c'est-à-dire les « besoins » appris, les automatismes sociaux. C'est la lutte du « ça » et du « sur-moi ». En effet, du fait de « l'appropriation » , pourrait-on dire, de notre système limbique par la société à laquelle nous appartenons, les « besoins » qu'elle va créer à ce niveau et, par son intermédiaire, dans tout l'organisme, seront souvent en contradiction avec nos besoins hypothalamiques, instinctifs. Le « refoulement » de ceux-ci ne sera pas sans aboutir fréquemment à des erreurs d'aiguillage synaptiques, des états de dépolarisation centrale, d'insatisfaction, de déplaisir. Heureusement

le décrochage, au cours du rêve, de l'activité fonctionnelle de notre système nerveux d'avec le contrôle
implacable du déterminisme qui règne dans l'environnement en particulier social, permet sans doute une repolarisation temporaire, une restauration des structures,
protéiques, un assouvissement des désirs, c'est-à-dire
des besoins inassouvis. Oswald (1969) a pu montrer
récemment qu'au cours de la phase dite paradoxale du
sommeil, et particulièrement de sa phase onirique, la
synthèse protéique cérébrale était restaurée, la restauration structurelle et fonctionnelle du neurone assurée [1].
Voilà par quels détours on peut interpréter ce « besoin »
absolu du rêve chez l'animal et chez l'Homme, encore
que chez l'animal il n'est sans doute que l'expression
de la restauration neuronale, alors que chez l'Homme
on peut admettre que cette restauration neuronale n'est
que la conséquence probable de la libération de certaines
activités nerveuses des inhibitions fonctionnelles résultant
des automatismes sociaux.

Mais la société par l'intermédiaire de la création
d'automatismes acquis n'est pas seulement « castratrice »
des besoins instinctifs. Elle sait aussi créer des besoins
puisqu'elle sait créer des automatismes nerveux, eux-
mêmes sous-tendus par une synthèse protéique neuronale
et des structures fonctionnelles interneuronales nouvelles. D'où l'importance de l'information sous toutes
ses formes. Le terme d'informations demeure encore
valable, notons-le, dans son acception de « mise en
forme » d'associations synaptiques interneuronales. En
ce sens, la publicité met réellement en forme notre
système nerveux. Elle crée des structures fonctionnelles,
donc très vraisemblablement protéiques. Elle crée donc
des besoins. En effet, en dehors des besoins innés, liés
au fonctionnement du cerveau reptilien, nous n'avons
besoin que de ce que nous connaissons et le rôle de
l'information, en faisant connaître, devient la création
de besoins. Mais ces besoins sont d'origine purement
sociale. Ils ne sont plus l'expression des désirs fondamentaux de l'individu, mais celle des besoins d'une
structure d'un niveau d'organisation supérieur, la
structure sociale. Car là encore, la structure sociale,
comme toute structure vivante, exige une certaine

1. J. OSWALD (1969), « Human brain protein, drugs and
dreams », *Nature* (Londres) *223*, 5209 : 893-897.

quantité d'énergie et d'information pour se maintenir. Sa finalité n'est pas celle des individus qui la composent, pas plus que le besoin d'alcool n'est la finalité de la cellule hépatique de l'alcoolique. Si cette finalité était celle de l'espèce, on peut penser encore qu'elle puisse être valable pour les individus. Mais ce n'est que la finalité d'un groupe, aussi vaste soit-il, d'individus, par rapport à d'autres groupes d'individus. Il en résulte que les besoins qu'elle va créer ne seront pas forcément valables, ni pour les individus ni pour l'espèce, mais pour le maintien de sa structure propre à elle, structure sociale, sous-ensemble d'ensembles plus vastes ayant aussi leur propre finalité.

C'est ainsi que nous acceptons la différence fondamentale faite par Chombart de Lauwe (1968) entre besoin et aspiration[1], puisque nous retrouvons une distinction analogue sur le plan de l'organisation nerveuse supérieure. Nous l'acceptons beaucoup moins sur le plan purement biologique puisqu'un même mécanisme, cellulaire semble-t-il, est mis en jeu. Autrement dit, le besoin serait instinctuel, hypothalamique, irréductible. L'aspiration serait limbique, automatisme acquis, d'origine sociale. Mais nous ne suivons plus cet auteur quand il assure « qu'en régime démocratique, le pouvoir est contraint de réajuster constamment son action en fonction de ces nouveaux besoins et de ces nouvelles aspirations qui prennent tôt ou tard un caractère d'obligation ». En effet, le pouvoir n'a que ce qu'il mérite, si l'on peut dire, puisque c'est lui qui, détenteur des *mass media*, est l'initiateur de l'information créatrice de « l'aspiration » que nous préférons dénommer automatisme acquis.

Mais nous retrouvons là un problème déjà abordé précédemment à savoir que le pouvoir n'en a aucun et qu'il est strictement lié au développement du mythe des sociétés contemporaines. « S'expandre ou mourir. » Il n'est que l'exécuteur des hautes œuvres du cerveau reptilien de la classe dominante, dont le seul objectif est de faire des marchandises pour les vendre, ce qui

1. P.-H. Chombart de Lauwe (1968), « Genèse et rôle des besoins et des aspirations dans les sociétés contemporaines ». Compte rendu de la communication présentée à l'Académie des Sciences morales et politiques. *Revue philosophique*, octobre 1968.

permet un profit, qui est réinvesti pour faire plus de marchandises, etc., seul moyen qu'elle ait imaginé pour dominer.

Troisième niveau d'organisation de l'activité nerveuse centrale, le cerveau associatif a-t-il des besoins ? Nous avons déjà eu l'occasion de montrer que ce cerveau imaginant avait été le responsable, depuis les origines, du développement technique. En ce sens, imaginant de nouvelles structures qu'il objective dans le monde environnant, il apporte une connaissance. Mais depuis la révolution néolithique, cette connaissance a toujours été immédiatement accaparée par les marchands qui ont fait de toute innovation technique une marchandise. En ce sens, le cerveau associatif n'a fait que permettre à ceux qui ne s'en servent généralement pas d'asseoir leur domination sur les groupes sociaux qu'ils exploitent ici ou là, exploités d'ailleurs eux-mêmes par leur mythe.

En ce sens, le déterminisme social, la niche environnementale semble avoir toujours au cours des âges suscité trois types distincts d'individus, que l'on retrouve intégralement de nos jours.

Le premier type est représenté par l'Homme d'action. Il est caractérisé par l'acquisition d'une engrammation sociale aboutissant à la satisfaction des pulsions par la seule action en retour sur l'environnement. On devine l'importance, chez ce type d'individu, du cerveau reptilien. Son activité s'inscrit chez lui dans le cadre des automatismes sociaux et, dans ce cadre, le bien-être, la satisfaction des besoins tels que nous les avons précédemment définis, se contente de l'action efficace sur l'environnement.

Le second type est dominé par le cerveau des automatismes. C'est un homme soumis, conforme à la représentation du modèle imposé par la société à laquelle il appartient, acceptant ses préjugés, ses jugements de valeur et ses hiérarchies. C'est l'honnête homme, même s'il s'arrange pour assouvir ses pulsions en cachette, du moment que la morale de l'époque ne peut en souffrir et que l'idée que se font de lui ses contemporains soit conforme à l'uniformisation. Ne remettant jamais en question l'ordre existant et les valeurs dominantes, il fait un excellent citoyen et atteint parfois, si ses origines sociales le lui permettent, une place élevée dans la hiérarchie de notre société technicisée. C'est aussi bien le bon ouvrier que le bon paysan, que le cadre ou le

technicien conformiste, colonne vertébrale des démo-
craties occidentales ou des républiques socialistes. Il
n'a pas de nom et pas d'histoire, et disparaît sans que
le monde sache même qu'il était apparu. C'est pour
lui sans doute que le principe de Peter a été inventé.
Ayant atteint, souvent très vite, son niveau d'incompétence, incapable d'imaginer une solution nouvelle aux
contradictions qui l'habitent et, fondamentalement, à
celles qui opposent son cerveau reptilien à celui de ses
automatismes sociaux, il constitue un terrain remarquable
pour les affections psycho-somatiques, ulcères de
l'estomac, hypertension artérielle, obésité, infarctus du
myocarde, impuissance sexuelle, etc. Il peuple les usines,
les académies, les bistrots, les églises, et forme la base
de tous les partis politiques, même d'opposition, car c'est
encore se soumettre que d'entrer dans l'opposition.
S'il y acquiert une place prépondérante, c'est qu'il
appartient alors au premier type. Sa pulsion instinctive
à la domination ne pouvant comme chez l'Homme
d'action se réaliser sans bousculer un peu les automatismes acquis, il tente de se recycler à partir d'un certain
âge, persuadé que son incompétence résulte uniquement
de l'insuffisance de ses connaissances techniques. Bien
entendu, ce recyclage ne résout que bien rarement ses
contradictions sous-corticales.

Le troisième type enfin, sur la base de ses pulsions
instinctives, ne peut se satisfaire des automatismes
acquis. Comme il n'est pas satisfait non plus par son
action sur l'environnement, soit qu'il ait rencontré à la
suite de cette action une rétorsion du groupe social, soit
qu'il se soit heurté à l'inertie des automatismes acquis
par ses contemporains, il se trouve en quelque sorte
conduit, canalisé vers l'imaginaire. Il découvre son
cerveau imaginant et se crée, grâce à lui, le monde qui
lui convient. S'il abandonne toute relation avec le réel,
il évolue assez rapidement vers la psychose. S'il joue
le jeu social sans y croire, son ascension hiérarchique est
évidemment fort compromise. Mais s'il se réserve
suffisamment de temps pour se construire logiquement
un monde imaginaire où il puisse vivre, il fait un artiste
ou un créateur scientifique. S'il s'y prend suffisamment
tôt, il risque même d'être reconnu pour tel au déclin
de sa vie, lorsqu'on s'apercevra que sa construction
imaginaire s'avère plus explicative du réel que les
constructions précédentes, et surtout si la technique

peut y glaner un progrès dans la production des marchandises. Ce type d'individu est sans doute le plus fragile,
fréquemment au bord de la psychose ou de la toxicomanie.
En effet, s'il souffre de son insuffisance imaginative, il
peut chercher à favoriser sa fuite de la société où il se
trouve dans le délire des drogues hallucinogènes. Le cas
est plus fréquent chez les créateurs littéraires que chez les
scientifiques, et la liste des drogués et des fous parmi
ceux que la postérité a considéré après coup comme des
artistes géniaux, est déjà longue. Le scientifique étant lié
par sa méthodologie même à un contrôle plus étroit
de la part de la réalité objective a moins de chances
généralement de rencontrer la toxicomanie au cours de
sa fuite d'un monde qu'il ne peut supporter. On arrive
ainsi à cette notion que le véritable novateur est celui
qui tente d'échapper à la société qui lui est imposée
parce qu'il est incapable de s'y soumettre, et qu'il ne
se trouve pas satisfait par l'action dès lors que cette
action n'est pas capable de transformer le cadre relationnel
dans lequel il est plongé.

On peut même se demander si les premiers artistes,
ceux des cavernes, ne le sont pas devenus pendant les
périodes de l'année où la chasse leur était impossible,
c'est-à-dire où l'action leur était interdite, donnant ainsi
libre cours au fonctionnement de leur cerveau imaginant,
créateur des mythes, des représentations, des symboles
et des signes.

Si la niche environnementale est bien le facteur
prépondérant qui va susciter l'apparition de ces trois
types humains, dont on comprend bien qu'ils ne sont
pas toujours aussi crûment sculptés que nous venons de le
faire pour la nécessité de la description, cette niche
environnementale suivant la structure socio-économique
de la société envisagée variera non seulement pour
chaque individu, mais pour chaque classe, pour chaque
famille qui représente une association de déterminismes
sociologiques souvent diversifiés. En réalité, sous cette
apparente diversité, une grande uniformité comporte-
mentale inconsciente persiste quelle que soit la structure
socio-économique du lieu et du moment, et celle-ci
favorise en général, parce qu'elle en a « besoin », l'apparition du second type humain, celui dont elle crée les
besoins par la manipulation des informations qu'elle
autorise. Ces besoins sont essentiellement des besoins
matériels, des marchandises, car les besoins dits culturels

sont également traités comme des marchandises, comme objets d'échanges et de profit. La culture autorisée n'est pas n'importe quelle culture, mais celle facilitant les automatismes utiles à la structure sociale. Celle-ci, en définitive, assure sa croissance thermo-dynamique aux dépens de sa croissance informationnelle.

Nous verrons que la ville est un puissant moyen de création des besoins, c'est-à-dire de diffusion de l'information orientée, nécessaire au maintien de la structure sociale existante. En résumé, elle facilite la diffusion d'un certain type d'informations génératrices de besoins qu'elle s'efforce ensuite tout naturellement de satisfaire. Ce faisant, la structure socio-économique du groupe humain qui la gouverne n'est jamais remise en question puisque tous les efforts sont faits pour la maintenir.

LES INFORMATIONS

Si nous considérons le groupe social comme un système régulé, les informations venues de l'extérieur de ce système permettront son ajustement aux variations de l'environnement. Mais elles risquent aussi de transformer assez profondément sa structure, ce qui est une éventualité contre laquelle il réagira en filtrant ces informations exogènes, de façon à ne conserver que celles permettant le maintien de la structure existante.

D'autre part, nous savons qu'une structure n'est sensible qu'aux informations qui sont pour elle signifiantes, et plus cette structure est rigide, moins elle sera sensible aux informations non conformes à sa structure.

Enfin, la structure d'un groupe social est analogue généralement, dans un type de société donné, à celle des autres groupes sociaux constituant l'ensemble national d'abord, à celle de l'ensemble des nations ayant adopté un statut socio-économique donné ensuite. Ceci veut dire qu'un groupe social particulier bénéficiera des informations exogènes concernant la mise en question de sa structure même, beaucoup plus difficilement que de celles favorisant cette structure. Il pourra facilement bénéficier d'informations techniques, car celles-ci ne remettent généralement pas en question la structure socio-économique du groupe au sein d'ensembles plus grands possédant la même structure. Il bénéficiera beaucoup plus difficilement d'informations exogènes concernant des structures socio-économiques différentes qui risquent de permettre des comparaisons partielles ou globales du statut sociologique général auquel il est soumis.

Mais surtout ces informations exogènes ne sont qu'une faible partie de celles qu'il pourrait recevoir. Nous savons que le cerveau imaginant des hommes est source d'informations nouvelles et que la création établit de nouvelles structures. Mais nous avons vu pourquoi ces informations originales issues du cerveau associatif ont été jusqu'ici presque exclusivement consacrées aux progrès techniques. Les propositions de structures sociales originales se sont heurtées dans leur expérimentation à l'ignorance des bases biologiques des comportements.

Il en est résulté que toute information n'ayant pas un strict caractère technique, utile à l'évolution de l'industrialisation et à l'expansion économique, s'est souvent avérée non signifiante parce que ne correspondant pas à un besoin matériel, seul ressenti, dès que le contrôle en est assuré par l'information dirigée émanant de la structure sociale dominante.

En d'autres termes, les sources d'informations susceptibles de constituer un facteur de changement évolutif de la structure sociale peuvent être extérieures ou intérieures au système : extérieures, elles proviendront d'autres groupes sociaux, et celui envisagé bénéficiera de leur expérience inventive; intérieures, elles proviendront de l'imagination créatrice de certains des hommes qui le constituent. Mais dans les deux cas, le message risque soit d'être filtré ou stoppé, s'il présente un danger pour la survie de la structure socio-économique en place, soit de ne pas être reçu, parce qu'utilisant un langage différent. Pour recevoir correctement l'émission d'un poste de radio, il faut que le récepteur s'accorde sur sa longueur d'onde, sinon le message sera véhiculé mais non reçu. La bande technique et celle qui porte la publicité n'éprouveront aucune gêne à la réception, car elles favorisent l'expansion et le profit. Celles porteuses de morales ou de religions, de jugement de valeur et de préjugés sociaux, favorables au maintien de la structure socio-économique dominante, capables en quelque sorte de favoriser, de consolider chaque jour les automatismes limbiques acquis, seront également émises et reçues.

Mais toute information porteuse de structures nouvelles ne pourra pas, si sa force déstructurante est évidente, bénéficier des multiples canaux par lesquels se diffusent aujourd'hui les « nouvelles ».

L'on voit ainsi l'interaction étroite existant entre besoins et informations, celles-ci forgeant ceux-là. Le pouvoir n'a plus alors qu'à laisser s'exprimer « librement » comme on dit, ou « démocratiquement », ces besoins puisque c'est lui-même qui les a fait naître, et qu'ils répondent à son désir d'expansion et de profit.

Un espoir persiste cependant, c'est que, du fait du nombre de plus en plus grand de ces informations, leur réception à la base puisse être à l'origine de structures, de relations nouvelles entre elles, différentes de celles qu'elles possédaient à la source, encore que bien souvent elles n'en possèdent pas du tout. Mais il paraît nécessaire pour cela que ces informations, et surtout que la structure qui peut parfois leur être fournie à la source, soient manifestement en contradiction avec les faits observés. Encore que l'histoire et la biologie des comportements nous apprennent combien les jugements de valeurs, c'est-à-dire les automatismes sociaux, sont forts ; combien ils sont capables de rendre cohérentes les pires contradictions, et comment un individu qui n'est pas convaincu par l'évidence est en réalité incapable seulement de la comprendre. En science même, le phénomène est courant.

Un phénomène technique nouveau est cependant capable d'apporter de profonds bouleversements à la diffusion, la rétention et au traitement de l'information. C'est que cet ensemble de processus peut actuellement se passer de l'Homme. Autrement dit, les informations n'ont jamais été si nombreuses du fait de l'appareillage utilisé pour les capter. Elles n'ont jamais diffusé si rapidement d'une part, si largement d'autre part, du fait du nombre et de la variété des appareils de diffusion. Elles n'ont jamais été mieux fixées, car les mémoires électroniques sont plus fidèles et plus vastes que les mémoires humaines et, surtout, elles ne sont point déformées par des pulsions hypothalamiques. *En d'autres termes, il est possible que l'Homme entre dans l'ère glorieuse où il cédera ses fonctions nerveuses préhumaines à la machine.*

Celle-ci sans désir et sans haine, sans jugements de valeur, sans affectivité, lui permettra de réaliser les opérations que son cerveau de vieux mammifère était seul capable d'effectuer jusque-là, lui laissant pour rôle celui d'utiliser son cerveau d'homme imaginant. Mais il semble évident qu'il faut d'abord qu'il apprenne non pas à ne plus se servir de ses cerveaux anciens mais à ne plus se laisser conduire par eux. Sans quoi aucun progrès ne sera apporté par la machine dans les motivations de son comportement. La machine sera peut-être à l'origine de ce désapprentissage comme elle nous a progressivement désappris à marcher sur de longues distances. Elle a progressivement désappris aux manœuvres comme aux artisans à se servir de leur force musculaire ou de leur adresse sans pour autant les amputer. Il reste à l'électronique ou à un autre procédé technique à nous libérer de nos vieux cerveaux. Ce n'est peut-être là qu'un projet, et combien utopique. Il s'inscrit cependant dans le sens de l'évolution, puisque le progrès technique a déjà allégé le travail de nos membres, il est logique qu'il allège aussi celui des systèmes de commande les plus primitifs de ceux-ci. Les automatismes ne sont évidemment pas qu'aliénants. Sans eux nous ne pourrions pas faire grand-chose. Ils permettent de ne plus porter attention à la réalisation d'un acte qui, la première fois où nous l'avons exécuté, nous a demandé souvent beaucoup d'efforts, et par la suite de nombreuses répétitions avant d'en avoir la « maîtrise ». Le pianiste qui répète inlassablement un trait pour en intérioriser les mouvements dans son système nerveux ne cherche qu'à obtenir à son égard l' « inconscience », de façon à pouvoir ensuite projeter sa conscience sur une sonorité, une interprétation personnelle, imaginative, créatrice certainement pour l'artiste de génie, et qu'il n'aurait pu atteindre s'il était resté empêtré dans les mailles étroites du « métier ». Ce métier n'est dangereux pour sa progression que s'il en reste là, si l'artiste se contente du métier tout court. Par contre, il est indispensable à la découverte d'un autre monde que celui purement acrobatique de l'engrammation limbique, de l'apprentissage. Il en est de même pour tous nos comportements. Les automatismes ne sont facteurs de stagnation que s'ils sont pris pour une finalité en eux-mêmes. Puisqu'ils sont sous la dépendance d'une autre aire cérébrale que celle de l'imagination, ils ne devraient pas en principe gêner le fonctionnement de cette dernière; mais au contraire, celle-ci pourrait être capable à chaque instant d'utiliser ces automatismes acquis pour la création de nouvelles structures. Il est simplement à craindre que, si la destruction de l'automatisme, de l'habitude est nécessaire au progrès, on éprouve, bien que connaissant cette nécessité, des difficultés à la réaliser. La sagesse populaire connaît depuis longtemps la ténacité des « mauvaises habitudes ». Sur le plan conceptuel ou de la méthodologie de la pensée créatrice, l'aliénation aux automatismes risque de devenir dramatique. Mais le véritable drame n'est pas là. Il est dans la croyance à la réalité absolue de l'automatisme. Il réside dans l'inconscience du fait que cet automatisme n'est qu'un automatisme, c'est-à-dire une série de relations fonctionnelles entre des éléments neuronaux, de relations établies dans l'activité de notre système nerveux, et qu'elles n'ont pas de réalité en dehors de lui.

La machine nous permettra peut-être de nous décharger de certains automatismes, laissant ainsi plus d'indépendance et de temps au cerveau imaginant, comme l'apprentissage et le métier permettaient à l'artisan des siècles passés d'utiliser son imagination à la création d'une œuvre. Mais on voit, en ce qui concerne l'aspect *informationnel* de l'apprentissage, que ce peuplement de la mémoire et du système limbique par une activité nerveuse basée sur l'habituation représente, à notre sens, le contenu essentiel du surmoi.

Si l'apprentissage par les parents à leur progéniture du contrôle sphinctérien, bien que source de conflits entre le cerveau reptilien et le système limbique de l'enfant, se traduit finalement par une vie plus simple en société, il est peut-être aussi important de comprendre que tous les autres automatismes que la société imprime dans le cerveau des individus n'ont pas d'autre but. Toutes les valeurs engrammées n'aboutissent qu'à ce résultat de faire des hommes sages, c'est-à-dire coopérant à la finalité du groupe. Toute information est utilitaire pour le groupe, comme toute pulsion instinctive est égoïste ou spécifique.

L'individu ne peut donc attendre d'informations débarrassées de jugements de valeur que de la science, dont la caractéristique est d'être universelle et objective, et de son imagination scientifique, c'est-à-dire celle directement liée à la création des structures universelles. Dès qu'il s'écarte de cette source étroite, il risque de pénétrer dans le marécage des jugements de valeur. Comme l'ascétisme scientifique paraît exceptionnellement dur à supporter, et actuellement encore extrêmement restreint dans ses applications, la seule évolution souhaitable dans l'immédiat est une méfiance systématique à l'égard de toute information, de toute valeur soi-disant éternelle, et la recherche non moins systématique des motivations paléocéphaliques inconscientes, la recherche des automatismes sociaux, de leur degré de généralisation. Méfiance à l'égard de l'analyse logique, utilisant les mots, méfiance surtout à l'égard des mots eux-mêmes. *Dans tout homme qui parle, il y a ce qu'il dit et ce qui se comprend, et ce qu'il ne dit pas et qui le fait dire. Mais il y a aussi ce qu'il dit sans le savoir parce qu'il est inconscient de l'inconscient qui mène son discours.* Que reste-t-il de l'information après ce décapage acide ? Il ne reste guère plus qu'un système nerveux, bourré jusqu'à l'indigestion de tous les préjugés du monde, motivé par son égoïsme inné et qui camoufle cet abîme d'inconscience sous l'apparente logique du langage.

* *

On voit que la circulation des informations dans un tel système se fait toujours dans un seul sens de la source vers la réception. Jamais la réception ne peut à son tour devenir la source réfléchissante, complexifiante, diversifiante de l'information, qui reviendrait aussi modifiée vers son origine pour devenir facteur de décision. C'est par une hypocrisie foncière du pouvoir que celui-ci fait semblant de croire à la liberté de décision des masses. Quand celles-ci ne répondent pas à ses manipulations de l'information, c'est en réalité que cette manipulation a été maladroite, ou que l'attitude du pouvoir a été telle qu'elle a engendré une contre-réaction aussi déterminée que celle inverse que l'on attendait, mais cette réaction inverse pouvait elle-même être prévue.

Les sondages d'opinion, dont on a si souvent chanté la précision, ne sont ainsi qu'un moyen de contrôle de l'efficacité de la manipulation orientée des informations. La publication de leurs résultats en est une autre. Ils ne cherchent pas à connaître ce que le peuple désire mais bien à savoir si la thérapeutique qu'on lui a infligée, le malaxage limbique dont il a été l'objet, ont été suffisamment efficaces et s'ils doivent être intensifiés ou modifiés, mais alors toujours dans le même but, celui de créer des automatismes, ce qu'on appelle un mouvement d'opinion alors qu'il ne s'agit que de la fixation d'un comportement.

On comprend que certains, conscients d'un tel processus, ne conçoivent d'en sortir que par la révolution. Il n'est pas sûr que celle-ci ne reproduise pas immédiatement le dit processus, au profit, non d'une autre classe, mais d'un autre groupe humain, généralement restreint, et qui possédera le nouveau pouvoir. Dans ce cas, il sera lui aussi la source unique des informations, différentes peut-être dans leur forme, mais non plus dans leur finalité qui restera le maintien de la structure sociale mise en place, c'est-à-dire du nouveau groupe dominant.

Nous retrouvons là ce que nous avons déjà exprimé : pour généraliser le pouvoir, il faut généraliser la connaissance, c'est-à-dire généraliser et diversifier l'information et déstructurer les automatismes. Il faut donc multiplier les sources d'informations, faciliter par tous les moyens leur diffusion. Ne jamais permettre qu'un problème ou qu'un sujet, quel qu'il soit, utilisant un des moyens modernes de diffusion, soit présenté en sous-ensemble, détaché de ses déterminismes multifactoriels à des niveaux d'organisation sus et sous-jacents, car on tombe alors obligatoirement dans le jugement de valeur, la préférence affective, interprétée de façon logique par le logos raisonnant. Il n'est sans doute pas de sujet, aussi spécialisé soit-il, qui ne puisse être regardé avec les yeux de l'espèce et non pas du groupe ou de l'individu.

***

Un des moyens d'information ou, plus précisément, de mise en forme des comportements est évidemment l'enseignement. Nous en avons parlé ailleurs [1]. Nous nous bornerons simplement à remarquer qu'une société marchande et technicienne comme la nôtre ne peut concevoir l'enseignement que comme un enseignement technique, susceptible de fournir des « débouchés » dans le commerce et l'industrie. Il suffit de voir les efforts considérables faits depuis quelque temps pour rapprocher l'Université de l'Industrie, car dans un tel système l'Université ne peut avoir qu'un rôle, et ne peut être utile et « rentable » que si elle valorise l'expansion indus-

---

1. H. LABORIT (1968), *Biologie et structure*, collection « Idées », Gallimard éd.

trielle. Alors que pour faire des techniciens des écoles techniques sont suffisantes, et que leur hiérarchie, celle du savoir technique qu'elles dispensent, préfigurera la place qu'occuperont ceux qui en sortent dans la hiérarchie sociale, et cela pour le restant de leur vie. Dans les écoles, est dispensé un savoir qui ne se discute pas, il s'ingurgite et se restitue spasmodiquement au moment des examens et concours. Il n'y a rien à imaginer, rien à créer, mais tout à digérer. La digestion est même une fonction trop complexe pour être comparée car, à défaut de synthèse, elle suppose une analyse minutieuse de l'aliment. Le contrôle classique des connaissances n'en demande pas tant. Il se contente de la restitution de fragments non digérés, ce qui se comprend d'ailleurs car le plus souvent strictement indigestes. Si j'ai choisi cette analogie digestive, c'est que les fonctions cérébrales et les aires centrales auxquelles ce type d'enseignement fait appel sont celles les plus basses situées dans l'échelle évolutive du système nerveux : l'hypothalamus motivant la *soif* du débouché et de la *domination* hiérarchique, le système limbique pour la *mémoire* et les *automatismes*. A aucun moment le cortex associatif n'est mis en cause, mais cela est largement suffisant pour la formation des cadres supérieurs d'une société figée et technicienne, aussi bien que pour celle des ouvriers spécialisés. La niche environnementale, bourgeoisie ou prolétariat (2 % seulement des étudiants en médecine, paraît-il, viennent de ce dernier) décidera de l'école à suivre.

Une société a l'enseignement qu'elle mérite.

Nous y retrouvons le même modèle que celui aperçu précédemment. Un modèle où l'information ne coule que dans un sens et ne revient jamais à sa source, réfléchie, enrichie et diversifiée par le miroir de l'enseigné.

Quand on pense au nombre d'enseignants qui, un peu partout dans un pays comme le nôtre, répètent au fil des années le même cours magistral sans jamais en modifier une virgule, alors qu'un enregistrement sur bande magnétique ou par moyen audio-visuel suffirait à fixer une fois pour toutes ces monuments pétrifiés, et à les ressusciter autant de fois qu'il en serait besoin, en dehors de la présence de ceux qui les ont prononcés, on imagine le gâchis de temps, d'argent et d'imagination qui peut en résulter. Je dis d'imagination car, pendant qu'un enseignant répète ce que les autres ont fait, ce qui constitue généralement le contenu même de son cours, car on ne peut à la fois enseigner une vérité et chercher à en découvrir une autre, il pourrait justement laisser à la mémoire magnétique le soin de remplacer la sienne, et tenter de faire fonctionner son cerveau associatif. S'il devait enseigner alors, ce serait au moins l'évolution même de sa recherche, jamais fixée et toujours en mouvement. Avouons aussi qu'il existe de nombreux et excellents livres qui renferment, en chaque discipline, l'essentiel des connaissances humaines du moment, et qu'il suffit d'en fournir la liste aux enseignés pour qu'ils fassent eux-mêmes l'effort d'engrammation mémoriel indispensable. Le rôle de l'enseignant est alors de leur faciliter la mise en ordre des connaissances acquises, l'établissement des relations entre les faits, la généralisation des concepts, la recherche avec l'enseigné des structures, l'apprentissage enfin d'une méthodologie scientifique de pensée et d'action. A ce travail, il s'enrichit lui-même au point qu'on ne sait plus quel est l'enseignant et l'enseigné tant les informations sont alors capables de circuler dans les deux sens. Cela peut se résumer si l'on veut dans la recherche, avec l'expérience de l'un, la fraîcheur et le non-conformisme des autres, d'une solution nouvelle aux problèmes anciens. On ne peut qu'être frappé de l'apport considérable aux découvertes fondamentales réalisé par des hommes jeunes, parfois encore étudiants, dans les pays où le non-conformisme pédagogique existe encore. Je veux parler de certains pays anglo-saxons et nordiques, par exemple.

Enseigner devient alors la façon de revivre en commun une expérience vécue isolément entre les murs d'un bureau ou d'un laboratoire, en d'autres termes la façon d'enrichir par le déversement dans un réceptacle communautaire, apte à mixer, filtrer et recueillir une connaissance qui n'a que trop tendance à s'isoler, se narcissifier et s'aigrir.

En réalité, enseigner consiste actuellement à faire des générations à venir l'image fidèle des anciennes, de façon à ce que la génération qui enseigne, porte-parole d'une structure socio-économique donnée, n'ait rien à craindre de la génération enseignée. Au lieu de lui apprendre à imaginer, on lui apprend à reproduire. On lui crée des automatismes, on lui fournit des modèles, on lui impose un ordre avec défense surtout de le modifier. Avec ce système, l'évolution des espèces est une chose, l'évolution sociale en est une autre. La première est une constatation peu dangereuse, la seconde une force redoutée. On ne peut rien faire contre le passé, mais on peut peut-être s'opposer aux transformations à venir.

L'information est bien ainsi une « mise en forme », mais c'est celle du récepteur, coulé dans le moule commun du « conformisme », de telle façon qu'il ne puisse procurer aucun souci aux structures en place, elles-mêmes « uniformisées » dans leurs concepts, leurs comportements et leurs hiérarchies.

* *
*

On voit que le problème de l'information bute actuellement sur deux murs épais d'absurdité. Ou bien, recherchant par les multiples moyens mis par la technique à la disposition du pouvoir, on établit la « demande » à la base des besoins de la masse, et l'on s'efforce alors, en pleine démagogie, de les satisfaire. Dans ce cas, on est sûr de supprimer toute évolution, car l'information ne réfléchira que ce que la masse connaît déjà et apprécie, et qu'elle ne peut apprécier et désirer ce qu'elle ignore. On tourne en rond. Ou bien le pouvoir, se préoccupant avant tout de sa survie (quelle structure vivante n'en est pas préoccupée au premier chef?) et se souciant fort peu d'une évolution qui entraînera forcément sa disparition ou sa transformation de façon hiérarchiquement si profonde qu'il ne peut l'admettre, n'informe la masse que dans un sens favorable à sa stabilité. Dans ce cas aussi l'information ne coulera que dans un seul sens, et l'opinion que réfléchira la masse ne sera, en définitive, que celle diffusée par le pouvoir. On tourne en rond encore.

Comme toujours en cybernétique, l'évolution n'est possible dans un système aussi bien homéostasié, donc non évolutif, qu'en prenant référence en dehors du système. L'information doit prendre sa source en dehors de ces deux éléments du système social et des facteurs qui les commandent, à savoir les pulsions et les techniques ou automatismes acquis. Cela veut dire que l'information doit prendre ses références dans « la connaissance ». Mais, attention, il ne s'agit pas de faire des *mass media* un immense institut pédagogique national où seraient enseignées « les connaissances » nécessaires à faire des techniciens efficaces. Cet institut-là, malgré l'attrait de la « promotion sociale », susciterait un mortel ennui. Songeons qu'il est moins utile pour le commun des mortels de connaître la classification de Mendeleïev ou la notion de dérivée, que tout bachelier connaît pourtant et qui ne l'aideront pas à se situer dans l'univers, que de connaître l'essentiel des bases biologiques et psychosociologiques de son comportement. Il est essentiel de diffuser la connaissance des structures et des méthodes, beaucoup plus que celle des faits dans leurs détails plus ou moins abstraits, dès lors qu'aucune motivation fondamentale n'oriente l'intérêt vers eux.

Tout homme est angoissé par le problème de la vie et de la mort, et plus ou moins consciemment encore par celui de ses rapports avec ses semblables. Il suffit de voir l'intérêt suscité par les cartomanciennes, les horoscopes, les rebouteux et Madame Soleil. C'est cela la motivation fondamentale vers l'information, l'angoisse humaine primitive, celle sur laquelle doit reposer toute diffusion de la connaissance. C'est à l'apaiser que doit servir cette dernière. C'est à montrer que la connaissance jamais définitive des structures est la seule thérapeutique « humaine » de l'humaine angoisse, que doit tendre l'emploi journalier des *mass media* et non à l'endormissement, à l'hypnose par des réflexes conditionnés. Si les *mass media* pouvaient être le moyen par lequel tout un peuple ou même tous les peuples pouvaient s'interinformer à partir des individus qui les animent, si, grâce à eux, les relations existant entre les différents niveaux d'organisation de la matière et de la vie pouvaient être rendues conscientes à la majorité des hommes, si grâce à la connaissance des lignes générales de ces relations ceux-ci pouvaient trouver un sens nouveau à leur existence et si surtout le désir non pulsionnel, ni automatique, mais raisonné en fonction même de la connaissance de ces pulsions et de ces automatismes, pouvait naître en chacun d'eux, alors il est à peu près certain que l'humanité serait prête pour une révolution plus sensationnelle encore que la révolution néolithique.

Mais la masse ne peut être la source de cette connaissance. Le pouvoir non plus évidemment ou, si l'on raisonne par classes sociales, cette source ne peut être ni le prolétariat ni la bourgeoisie en tant que telle. Là encore, il faut que la référence vienne d'en dehors du système, en d'autres termes, de scientifiques, petits bourgeois ou non. Bien que son nom soit féminin, la science n'a pas de sexe.

Malheureusement, comment ces scientifiques pour-
raient-ils communiquer leurs informations, puisque
n'ayant pas le pouvoir ils ne peuvent disposer des *mass
media*? Puisque dans ce monde entièrement technicisé,
tous les leviers de commande des sous-ensembles, économiques, politiques, sociologiques et « culturels » sont
entre les mains de techniciens? Il semble qu'il faille
attendre patiemment que ces techniques des sous-
ensembles aient fait la preuve de leur incompétence à
traiter de l'ensemble humain pour que nous en soyons
enfin délivrés.

*_**

Il y a enfin un mode d'information dont on parle
beaucoup ces temps-ci : l'éducation permanente. Du
fait de l'évolution galopante des techniques, on a constaté
la nécessité d'accorder une part de plus en plus grande
dans l'activité de l'adulte non pas seulement à l'exploitation productive des notions techniques acquises dans
l'adolescence, mais au recyclage des notions nouvelles
élaborées entre-temps par la recherche. Notons que la
société technicienne n'envisage absolument pas l'enrichissement interdisciplinaire non des techniques mais
des concepts. Elle a besoin de techniciens efficaces qui
ne soient pas dépassés dès l'âge de trente ans par l'évolution même de leur technique. L'éducation permanente
consistera donc exclusivement dans un recyclage technique, capable seulement de reculer le niveau d'incompétence, de retarder le principe de Peter. Or, l'expérience
montre qu'elle n'en guérit pas les affections psychoso-
matiques, et cela résulte, pensons-nous, du fait qu'une
évolution se réalise à la fois en profondeur et en super-
ficie. La notion d'interdisciplinarité, également à la mode
aujourd'hui et dont il y a plus de vingt ans que nous
avons personnellement compris la nécessité, à une époque
où il était très mal vu d'être un touche-à-tout osant
sortir de sa spécialité, cette notion d'interdisciplinarité
doit beaucoup moins consister en une interdisciplinarité
des techniques que des concepts. Il ne s'agit pas, à notre
avis, de faire des techniciens de plus en plus qualifiés,
non plus que des polytechniciens, ce qui devient, du fait
même de l'évolution des techniques, presque irréalisable,
mais plutôt (qu'on me pardonne ce néologisme) des
polyconceptualistes.

Ce sont ce que j'ai appelé ailleurs des « synthéticiens »

capables de s'informer sur plusieurs disciplines, de faire fructifier la leur des intersections possibles avec celle des autres et, finalement, de se situer eux-mêmes plus aisément dans l'ensemble humain, plutôt que dans un sous-ensemble technique. Chercher, pour chacun de nous, les recoupements pouvant exister entre notre connaissance et celle des autres, conduit à mieux considérer ces autres, du fait qu'on participe conceptuellement à leur connaissance et à leur langage, donc que l'on devient capable d'échanger avec eux des informations. C'est là que réside l'essentiel de la diffusion de la connaissance et des informations, le facteur indispensable de l'estime, de l'ouverture comme on dit, du dialogue dont on parle sans penser que pour dialoguer il faut utiliser la même langue dégagée des jugements de valeur et des préjugés, le facteur nécessaire à la généralisation du pouvoir. Ce temps libre, que l'on veut accorder à l'accroissement permanent des connaissances techniques, parce que « rentables », serait sans doute mieux utilisé et sans doute plus thérapeutiquement efficace contre l'angoisse s'il était investi dans l'enrichissement culturel. Encore serait-il nécessaire de faire de la culture autre chose qu'un ensemble d'automatismes comportementaux imposés par la structure socio-économique dominante.

V

L'EFFET ET LA VILLE

Nous avons donc envisagé la structure du groupe humain « effecteur » de la ville. Nous avons étudié succinctement les principaux « facteurs » de son organisation. Nous avons tenté de montrer que cet ensemble est supporté d'abord par des facteurs comportementaux qui résultent de la structure biologique même du système nerveux humain. Nous avons longuement insisté sur le fait que dans l'appréhension *consciente* de son environnement, l'Homme n'avait encore jamais pris en considération, faute d'une approche scientifique convenable qui n'est possible que depuis peu, la part prédominante et *inconsciente* de ses pulsions dominatrices hypothalamiques et des automatismes acquis sous la pression des facteurs sociaux qui constituent sa niche environnementale. Ainsi, l'exploitation de l'Homme par l'homme, l'apparition précoce des classes sociales, la rigidité des dogmes culturels ou prétendument moraux, ne paraissent être que l'expression totalement inconsciente d'un besoin de domination primitivement alimentaire, mais aujourd'hui presque exclusivement sexuel, utilisant pour survivre la création des automatismes limbiques établis progressivement, dès la naissance. Le profit et l'accumulation du capital, la production des marchandises, l'expansion économique inexorable ne sont alors que les moyens utilisés par les plus agressifs pour établir et maintenir leur domination sur la masse. Sur cette motivation inconsciente, toutes les activités humaines sont orientées vers la production et la vente des marchandises.

Quoi d'étonnant dans ces conditions que la ville elle-même devienne une marchandise, objet essentiellement d'échanges, ayant perdu sa finalité première et n'ayant pour raison d'être, dans tous ses aspects, que de réaliser, d'augmenter, de favoriser le profit? Ce faisant, elle devient un moyen d'assurer la survie de la structure socio-économique existante, d'accroître le pouvoir de la classe dominante en accroissant ses profits.

RÉTROACTION DE LA VILLE SUR LA STRUCTURE SOCIO-ÉCONOMIQUE.

L'aménagement de l'espace par les constructions humaines a sans doute répondu primitivement au besoin de se protéger des intempéries et des animaux sauvages. Mais dès les premières concentrations urbaines néolithiques et la spécialisation du travail, la ville devint rapidement un lieu d'échanges des marchandises entre cités proches ou lointaines, de même qu'entre les individus de la même cité. Nous avons déjà précédemment envisagé ce processus évolutif. De même avec la révolution industrielle, la ville acquit la fonction supplémentaire d'abriter les industries naissantes, la force de travail qui leur était nécessaire, et la réussite des cités les plus favorisées résulte le plus souvent de cette nouvelle orientation. Mais d'une part, il était parallèlement nécessaire que la ville fournisse un point de rencontre et de localisation de tout le personnel, rapidement croissant, chargé de la gestion, de la comptabilité, de l'entrepôt et de la diffusion des marchandises industrielles, de même que du personnel occupé par le fonctionnement de plus en plus prépondérant, des tractations bancaires. A côté des producteurs eux-mêmes, un secteur tertiaire s'accroissait rapidement que la ville se chargeait de recueillir.

Or, l'augmentation de l'espace occupé par le prolétariat du fait de cette évolution industrielle eut d'abord deux conséquences : la dégradation progressive de certains quartiers autrefois résidentiels et occupés successivement par l'aristocratie, puis au début du XIXᵉ siècle par la bourgeoisie et que celle-ci abandonna par la suite devant leur prolétarisation croissante. Le fait aussi que ces quartiers dégradés et envahis par une classe révolutionnaire devenaient, en pleine ville, des foyers dangereux d'agitation sociale, capable de remettre en question les prérogatives de la classe dominante.

Devant cette évolution, la bourgeoisie pouvait utiliser deux ripostes : l'une trouve un exemple frappant mais non point unique dans la transformation de Paris par Haussmann. Sous prétexte de faire disparaître des causes d'insalubrité, la destruction de ces vieux quartiers, le percement de larges avenues où l'armée et la police peuvent évoluer facilement, la construction d'édifices nouveaux eurent pour résultat de disperser le prolétariat à la périphérie de certaines grandes villes et de permettre à la bourgeoisie de réintégrer ces nouveaux quartiers où les prix d'achat et de location des logements dépassaient les possibilités économiques du prolétariat. Le secteur tertiaire plus favorisé économiquement put également les investir. Cette solution présentait tous les avantages puisqu'elle permettait des opérations immobilières fructueuses par l'achat à bas prix de terrains et de constructions dépréciées, aux prix trop faibles de location, et leur remplacement par des immeubles neufs aux prix de location élevés, ce qui valorisait immédiatement dans des proportions souvent considérables les terrains sur lesquels ils bâtissaient.

La seconde solution était beaucoup moins avantageuse et ne fut utilisée que passagèrement en tant qu'étape vers la précédente. Il s'agissait pour la bourgeoisie de fuir la ville ancienne, de l'abandonner au prolétariat, pour s'établir à la périphérie urbaine. Elle n'apportait pas de solution à la tension sociologique urbaine et éloignait la bourgeoisie des lieux de transactions, des spectacles, et des centres d'achats. Elle dispersait enfin, dans un rayon beaucoup plus important, les ressortissants d'une classe aimant à se montrer, à montrer les critères de leur réussite, à échanger leurs signes de reconnaissance. Elle diminuait leurs possibilités de se faire valoir dans les rencontres, de traiter dans les temps libres des affaires dans lesquelles le standing du promoteur est un facteur de réussite.

Le centre de la ville devint donc essentiellement le siège des bureaux, des banques, des lieux de transactions, d'exposition des marchandises d'une part, le lieu fréquent de résidence de la bourgeoisie d'autre part. Le prolétariat fut ainsi progressivement refoulé vers la banlieue, vers la périphérie urbaine, alors que la ville devenait le temple de la marchandise.

Cette évolution est aujourd'hui en plein épanouissement, en France en particulier, et l'on a pu assister en dix années à la destruction, par exemple, de vieux quartiers insalubres, comme ceux du 13e arrondissement, au refoulement de ses habitants vers les banlieues, et à la construction, à la place des anciens taudis, d'immeubles d'habitation pour la classe moyenne. On ne peut alors s'étonner de constater qu'aux élections une ville comme Paris semble orienter progressivement son opinion vers la droite. Ceux qui pourraient encore voter à gauche, pour utiliser la terminologie pleine d'humour de la politique conventionnelle, ne sont plus là pour le faire. Cette évolution se fait, bien entendu, sous couvert d'un humanisme de bon aloi, et si les agents des tractations immobilières, les banques et les professions libérales et commerciales, intéressés par un tel remaniement de l'espace bâti en profitent, ce n'est évidemment que pour les récompenser d'avoir transformé un quartier insalubre en un espace agréable à vivre : personne ne pose la question de savoir pour qui, non plus que celle de savoir ce qu'en pensent ceux qui ont été non pas expropriés, mais évacués ailleurs.

Le premier résultat d'une telle politique est évidemment d'accuser la ségrégation des classes sociales. Elle est donc bien (tant que le système ne « pompe » pas) un moyen d'assurer, de perpétuer la structure socio-économique existante, de favoriser la manutention et l'exposition des marchandises, les arts quels qu'ils soient et les spectacles n'étant plus généralement qu'une marchandise comme une autre.

Bien que dans notre pays la couleur de la peau soit assez uniforme et que la ségrégation y soit moins colorée qu'en Afrique du Sud ou à New York, elle n'en est pas moins efficace. La ville appartient aujourd'hui à la classe dominante, la banlieue à l'autre. La classe dominante y reste au contact de ses marchandises qu'elle peut surveiller, cajoler, admirer, échanger. Elle n'a qu'à tendre la main pour le faire, et l'on demeure entre gens de même éducation. Le spectacle de la misère n'est jamais agréable, et dans la ville moderne il faut faire le plus souvent un réel effort de déplacement vers la périphérie pour le découvrir. Le fait de ne pas voir tranquillise, et permet même d'élever des doutes sur l'existence de ce qui n'est pas vu. Certains explorateurs, il y a quelques siècles, racontèrent qu'il y avait des hommes velus dans les arbres d'Afrique équatoriale. C'étaient les grands anthropoïdes. On ne les prit pas tout de suite au sérieux. De même, certains parlent de la misère des « zones », les quotidiens, de temps à autre, en font mention. Mais on ne la voit pas, si ce n'est quelquefois très vite à la fenêtre d'un express qui fuit ou qui entre en ville. C'est si fugitif, si imprécis et, la nuit, les lumières de la ville sont si aveuglantes qu'elles ne permettent pas d'apercevoir ces coins d'ombres.

***

Mais l'essentiel étant réalisé : la ville à la marchandise et à ses prêtres, on va s'occuper de ceux qui la produisent. Il ne faut tout de même pas qu'ils dépérissent, qu'ils perdent, comme ce fut le cas au début de l'industrialisation, leur force de travail. Les Athéniens savaient qu'un esclave bien nourri rapportait beaucoup plus que son prix d'achat. Des esclaves heureux de leur sort d'esclaves, cela permet aussi d'éviter la révolte des esclaves. Et si, en plus, ce programme peut être réalisé en accroissant encore le profit par les opérations immobilières et la possibilité de créer un nouveau débouché local aux marchandises, le système ne peut qu'y gagner. C'est alors que la classe dominante va s'occuper de l'urbanisme de la classe dominée.

Il ne s'agit pas de lui demander son avis. D'ailleurs, il est probable que, faute d'informations variées sur le sujet, elle en aurait très peu. Il suffit donc de former son opinion. Que faut-il pour être heureux ? En face de l'urbanisation galopante, de la désertion des campagnes, de l'afflux des populations rurales vers les villes, il faut d'abord se loger. Mais malgré l'aide massive de l'Etat, la construction de logements pour la classe la moins favorisée n'est pas une opération très fructueuse sur le plan financier. Il vaut mieux construire des logements plus luxueux soit à prix d'achat élevé, soit à loyers capables de constituer une source de profits intéressants pendant de longues années. Mais il faut bien reconnaître que l'immobilier, tout compte fait, n'est pas un objet de très haut rapport. D'autres orientations du capital sont beaucoup plus profitables, mais il présente cependant une certaine garantie de sécurité.

En bref, de la recherche urgente d'une solution à une crise du logement grave et pouvant être source de conflits sociaux ou pour le moins d'insatisfaction et d'inquiétude pour le prolétariat, sont nées ces cités

dortoirs qui poussent à la couronne banlieusarde des
grandes villes. On a longtemps décrit leurs inconvénients.
Abri temporaire pour la nuit, elles ne sont même pas le
lieu de retrouvailles du groupe familial. L'isolement de
la femme pendant la journée et les bas salaires des
ménages y favoriseraient, paraît-il, la prostitution; la
monotonie de ces cages uniformes, impossibles à per-
sonnaliser, que tout le monde fuit dès l'aube pour
rejoindre à plusieurs kilomètres de distance le lieu
de travail, et pour y revenir la journée finie, fourbu,
y prendre le repas du soir et y dormir, défie certainement
la logique socio-biologique la plus simple : métro —
boulot — métro — dodo est une formule fort représen-
tative de l'activité psychique de millions d'individus
entassés pour la nuit dans ces cités périphériques mornes
et sans vie. La presse (dite de gauche) a assez souvent
insisté sur cet aspect de la ségrégation de classe des
cités modernes pour que nous ne nous étendions pas sur
ce sujet. La distance de la cité dortoir d'avec le lieu de
travail constitue une source de fatigue considérable et
une perte d'un temps qui pourrait être utilisé par des
occupations plus attrayantes ou même par un travail
efficace, au lieu d'être dilapidé dans des déplacements
harassants et journaliers, et dans l'entassement impersonnel des foules humaines au sein de moyens de transports publics insuffisants.

La ville qui reste centre de plaisirs, de rencontres et de
spectacles n'intéresse plus ces masses dont le pouvoir
d'achat est insuffisant, et qui n'ont pas de temps en dehors
des congés payés, quand elles en ont, à consacrer à des
loisirs coûteux. Ainsi la naissance des cités dortoirs a
purifié la race des villes, elle a sédimenté les couches
sociales. La centrifugation urbaine a sédimenté les
éléments lourds à la périphérie, ne gardant à la surface
de ses quartiers historiques que le peuple léger des
plaisirs, ou sérieux de la banque, du commerce et de
l'industrie.

On voit bien dès lors que la structure socio-économique
est bien à l'origine de l'évolution urbaine contemporaine
mais, qu'en retour, l'occupation particulière de l'espace
qui en résulte accentue la rigidité de la structure socio-
économique qui l'a fait naître.

Cependant la cité dortoir fut une étape seulement de
cette évolution. Le prolétariat constitue tout de même
une source puissante de consommation. L'éloignement

de la ville marchandise, l'insuffisance des moyens de transport résultant du fait que ceux-ci ne pouvaient pas rentrer dans l'optique d'un profit immédiat, le sous-développement des populations périphériques, n'ont pas fait découvrir tout de suite l'intérêt de mettre localement à leur disposition les biens de consommation dont la ville bénéficiait, mais bientôt cette source nouvelle de profit devint évidente, et l'urbanisme s'employa dès lors à la réaliser. D'où la naissance des cités nouvelles avec leurs centres commerciaux permettant l'écoulement sur place de la marchandise et de succédanés culturels portant à domicile l'idéologie de la classe dominante. De même l'espace vert devint une obligation inscrite dans les automatismes acquis, les terrains de sport aussi, comme les zones de délassement et de loisirs. On apprit à la masse suburbaine ce qu'elle devait désirer. On l'informa qu'elle devait rechercher la culture, et on lui fournit même à bas prix cette culture et toute une conception de la vie pouvant améliorer l'écoulement et la consommation des marchandises. Le résultat fut que si la consommation commença à pouvoir se réaliser sur place, ce qui était évidemment l'objectif poursuivi, le lieu de production des marchandises par la population suburbaine n'en demeura pas moins à longue distance de son habitat. Les transports n'ayant pas les mêmes raisons commerciales de s'améliorer avec autant de rapidité, du fait sans doute de leur appropriation par l'État, les problèmes du temps libre, de la fatigue journalière et de la ségrégation des classes sociales, n'en furent nullement transformés.

On voit donc comment le rôle si efficace de la ville, creuset humain, où pendant des siècles la diversité, base indispensable de l'évolution biologique comme de l'évolution sociale, avait pu se développer, s'affaiblit progressivement. Au lieu de mettre en contact les individus et les classes sociales, de leur faire échanger leurs informations, de les faire se connaître et s'enrichir culturellement par une friction journalière, de mélanger dans la rue et dans les lieux publics, l'artisan, l'ouvrier, le bureaucrate, l'artiste, le bourgeois, l'aristocrate et le commerçant, la sédimentation spatiale des couches socio-économiques a élevé des cloisons pratiquement étanches entre les groupes humains, au lieu d'œuvrer progressivement à leur disparition.

L'évolution des moyens de locomotion a encore aggravé cette sédimentation. La voiture automobile

individuelle supprime tout contact, excepté celui des
pare-chocs, entre l'habitation et le lieu de travail pour
une certaine couche de la population particulièrement
privilégiée. Une semi-bourgeoisie utilise préférentielle-
ment les moyens de transport de surface, plus coûteux et
plus lents, une autre couche de population enfin les
trains de banlieue et le métropolitain. Mais la ville
toute grouillante de monde ne vit pas, elle digère. Lieu
autrefois éminemment propice aux mélanges des informations d'individu à individu, elle ne les propage plus
que par l'intermédiaire des *mass media*, sous une forme
prédigérée, pour atteindre l'ensemble d'un bloc et
orienter son comportement de façon automatique, prévisible, sans risque.

On aurait pu espérer que la vie communautaire puisse
se recréer dans les communes suburbaines. Mais cela
n'est possible que si les habitants vivent et travaillent
réellement dans l'espace où ils dorment et se reproduisent.
La ville primitive était une véritable communauté, car
chaque homme y dépendait de l'autre, son travail spécialisé étant nécessaire à l'autre, comme le travail de l'autre
lui était également nécessaire. La communauté urbaine
s'est créée sur cette interdépendance organique des
hommes dans un espace bâti où ils étaient journellement
en contact. Dès lors que le travail s'échappe de cet espace
bâti, cette forme d'interdépendance disparaît. Celui
qui absorbe à Ivry des conserves mises en boîte dans la
vallée du Rhône, après les avoir fait cuire sur une cuisi-
nière construite en Alsace, et qui ensuite lave sa vaisselle
dans une machine d'origine allemande, dépend plus
précisément des chaînes industrielles anonymes qui lui
assurent ainsi sa vie journalière, que de son voisin de
palier. Non qu'en elle-même cette interdépendance
internationale, voire planétaire ne soit pas profitable, que
les liens économiques diffus soient en eux-mêmes
regrettables, mais ces liens sont inconscients, abstraits, et
comme ils ne s'accompagnent pas d'autres liens concrets
et conscients, l'homme moderne se trouve seul, isolé,
perdu dans une machine socio-économique monstrueuse
aux mécanismes de laquelle il ne comprend rien.

Mais le plus incompréhensible, c'est comment, enfermé dans le carcan rigide et impersonnel de son labeur
journalier, de ses automatismes minutés, n'ayant plus le
temps ni de penser, ni même de délirer, il peut encore se
croire libre. N'est-ce pas parce que le concept de liberté

est lui-même la conséquence d'un automatisme culturel, que la société introduit en lui précocement pour éviter qu'il ne se suicide ou qu'il ne se révolte, pour lui faire croire aussi qu'il l'a choisie ?

Celui que l'homme moderne rencontre, de son réveil à son endormissement, possède un visage qui n'est jamais le même, un visage impersonnel et changeant. Aucun lien direct, immédiat, ne peut s'établir entre ces hommes et lui. Les seuls liens réels s'établissent dans le cadre d'un travail spécialisé et sous une forme hiérarchique et immédiatement aliénante. Il n'y a plus finalement que cette aliénation hiérarchique dans un cadre étroit qui parvient au seuil de conscience du travailleur moderne. Son travail l'éloigne du groupe familial qui ne peut plus suffire à combler son besoin d'échanges interindividuels. Il se trouve réellement isolé dans un monde humain, devenu inhumain par la présence de l'autre, sous la seule forme intégrée, massique ; la notion de classes sociales et la responsabilité prise par celle qui le domine à l'origine de sa souffrance s'impose alors à son intellect. Il ne peut rendre responsable son voisin des privations, des frustrations de toutes sortes qu'il ressent, puisque ce voisin il ne le connaît pas, il n'a pas le temps de le connaître. Il est naturel qu'il rende alors responsable de ces frustrations un ensemble sans visage, une classe sociale, et qu'il cherche le contact individuel de l'autre dans son intégration à l'intérieur d'un mouvement de masse réunissant un certain nombre de ceux qui se sentent ainsi déshérités du bien-être, défavorisés par la niche environnementale où le destin les a placés.

On voit donc la responsabilité de la ségrégation spatiale et sociale réalisée par l'urbanisme contemporain, dans la prise de conscience par le prolétariat de son exploitation par un monstre sans visage, qu'il appelle la bourgeoisie. Nous avons déjà dit combien celle-ci était pourtant difficile à définir et combien d'alliés elle avait trouvé dans le secteur tertiaire, pourtant tout aussi exploité que le prolétariat. Mais ce secteur est moins conscient de cette exploitation parce qu'il est moins isolé, qu'il participe plus aux préjugés de la classe dominante et à ses privilèges. La lutte de classe est un phénomène difficile à nier, mais nous croyons que les classes n'existent que parce qu'elles sont la conséquence des pulsions dominatrices primitives. Or les biens matériels, la propriété privée ne sont que les moyens actuels utilisés par certains individus pour en dominer d'autres. Supprimez-les, un autre type de domination surgira, l'expérience en a été déjà faite, et la ville en sera encore l'expression la plus directe. La ville, structure urbaine contemporaine, n'est qu'un instrument de plus utilisé par les classes dominantes pour accroître leur domination, en contrôlant l'aménagement de l'espace et en augmentant la sédimentation socio-économique. En pays capitaliste, elle en profite au passage pour accroître ses profits, ce qui accentue encore ses moyens de domination.

On a bien vu l'importance de cette sédimentation socio-économique en mai 1968 quand, au contraire, la ville et sa banlieue se sont retrouvées dans la rue, comme aux jours de fête. Pendant quelques semaines, les échanges les plus importants ce ne furent pas les pavés, les bombes lacrymogènes et les coups, mais les injures et les graffiti, le contact improvisé avec l'autre quel qu'il soit, l'extroversion étonnante, l'expression enfin déchaînée des phantasmes, des désirs et de l'imaginaire. C'est probablement ce que permet dans certaines cités le carnaval, encore qu'un carnaval prémédité, institutionnalisé, ne serait-ce même qu'autorisé par une classe dominante, n'a le plus souvent pour but non dissimulé que la vente accrue des marchandises. La ségrégation socio-économique persiste comme de coutume, la finalité reste la même : le profit. Quelles que soient les transformations profondes que pourra apporter un jour dans le comportement de l'habitant des villes, une transformation des rapports actuels de production, il est probable que les cités futures devront accorder à la « fête », à la libération de l'imaginaire, de son aliénation aux interdits sociaux, une part importante dans la vie de leurs habitants. Cela leur sera d'autant plus facile que l'automation grandira, que le travail « énergétique » de l'homme deviendra moins indispensable. *Mais il sera absolument nécessaire que l'objet de cette fête soit la masse elle-même, et non un sujet pris en dehors d'elle-même. Il faudra qu'elle fournisse aux hommes la possibilité de réfléchir en commun sur eux-mêmes, sur les rapports socio-économiques et culturels, et non pas seulement sur les jeux du cirque.* La richesse de mai fut à ce prix. Ce fut la tempête sous chaque crâne, avec la possibilité d'en ouvrir les écoutilles aux tempêtes de l'autre. En mai 1968, sous une forme d'autant plus explosive que les pulsions avaient été plus longuement et plus fortement étouffées sous la pression des automatismes acquis, Paris est redevenue pendant quelques semaines une ville. Ce dont on avait frustré tous ceux qui, insuffisamment habiles aux jeux du profit et de la marchandise, étaient journellement enfermés dans la prison de l'échange de leur force de travail contre un pseudo-bien-être de plastique, les paumés, les recroquevillés sur eux-mêmes, les comprimés du métro, des préjugés, des jugements de valeur et des tabous, les comprimés du portefeuille et du langage, ce dont on les avait amputés depuis leur naissance, ils le retrouvaient brusquement dans la rue, pêle-mêle, en désordre, mais spontané et vivant. Ce dont on les avait privés si longtemps, c'était du contact improvisé, non conforme, avec l'autre. Un contact direct sans *mass media* interposés. Un contact qui ne se résolvait pas en une appréciation sur le tiercé, le dernier disque à la mode, ou le dernier Goncourt, mais sur leur vie même afin de tenter d'en résoudre les absurdités. Il faut avouer que depuis, même quand on est député, on a peu souvent l'occasion d'exprimer son opinion personnelle sur ce sujet. Ce que l'Agora permettait au citoyen athénien pendant que les esclaves cultivaient la terre, ce que la place du village dans les pays au climat clément permet à l'ombre des platanes les soirs d'été, retrouver l'autre, il faudra que la ville de demain en découvre une formule rénovée, adaptée au monde contemporain.

Les grands défilés protestataires, les défilés de masse sous les pancartes et les banderolles ne remplaceront jamais les mélanges humains diversifiés de la fête. D'abord parce qu'ils accusent la sédimentation socio-logique, que l'échange d'informations est assez fustre et s'effectue de masse à masse. Une classe, un groupe social tout entier informe l'autre avec un minimum de sémantique. La réponse se fait par l'intermédiaire des *mass media* ou de la police. En réalité, ils ne répondent absolument pas au même but, bien qu'ils aient la rue et la ville l'un et l'autre comme cadre.

Pendant la fête révolutionnaire spontanée, c'est une psychanalyse de chaque individu par l'autre qui s'opère. Tandis qu'elle brise l'ordre établi, celui du pouvoir comme celui des partis conventionnels, qu'elle brise les automatismes du comportement, des jugements et concepts que ceux-ci veulent imposer, pour affirmer

la domination de quelques-uns sur la masse, elle établit
sans en avoir l'air un mode nouveau de pensée. Quelles
que soient la reprise en main des pouvoirs, la revanche
secondaire des hiérarchies et des privilèges, il en reste
quelque chose de neuf, d'imaginé. Il affleure, grâce à elle,
à la conscience de tous, des réalités cachées jusque-là
sous l'aveuglement des réflexes conditionnés. Au prix
d'un désordre apparent, un nouvel ordre apparaît, non
point tout de suite dans les dogmes et les lois, mais dans
la conscience que chacun possède du fonctionnement
de son système nerveux par rapport à celui des autres,
et cela est plus fondamental que le retard temporaire pris par l'évolution technique pendant quelques
semaines et que la chute passagère des cours de la
monnaie.

Cependant, la ségrégation des classes sociales par la
ville s'est opérée très tôt. Il en est résulté l'apparition
de quartiers ayant chacun une vie originale et communautaire. C'est à partir du moment où le travail ne
s'est plus effectué sur le lieu même de l'habitation ou
à faible distance, quand la révolution industrielle,
ignorant les problèmes du logement et de l'éloignement
progressif des masses laborieuses du centre urbain,
imposa sa localisation dans l'espace que la dégradation
fonctionnelle de la ville a commencé d'apparaître pour
parvenir à l'état que nous déplorons aujourd'hui.

Nous parvenons donc à cette notion dont l'intérêt
nous paraît évident que c'est moins l'urbanisation en
elle-même qui serait responsable de certains comportements agressifs, que le type d'urbanisation qui résulte
de la structure socio-économique de classe. Les pulsions
instinctives, dont nous avons parlé dans un chapitre
précédent, peuvent être contrôlées par les automatismes
imposés par les structures sociales, semble-t-il, tant
que ces structures sociales ont une figure concrètement
humaine, aussi longtemps que, comme l'écrit Louis
Blanc [1], « l'homme peut conjuguer le verbe avoir avec
le verbe être, aussi longtemps qu'il peut relier ses
actes professionnels et culturels à ceux des autres et
qu'il ne se sent pas le jouet d'une fatalité sans visage ».
C'est pourquoi nous avons lu avec intérêt le travail de

1. Louis BLANC (1971), *Agressologie 12* A. Rapports et dis-
cussions au Congrès des conservateurs des collections publiques
de France.

P. Ehrlich et J. Freedman [1]. Ces auteurs, après avoir constaté que chez les principales espèces animales la surpopulation transforme le comportement et le rend plus agressif, notent que l'Homme, par contre, possède de remarquables possibilités d'adaptation, et craignent ainsi de généraliser de l'animal à l'homme. Ils se sont donc livrés à une étude sociologique statistique sur les relations pouvant exister entre le crime et la densité urbaine. Ils aboutissent à cette constatation que les aires urbaines de plus forte densité n'ont pas plus de crimes que celles à moindre densité, et que ce n'est pas seulement la densité qui est en cause. Un facteur important, par contre, est la pauvreté. La pauvreté est souvent conjuguée à une densité de population élevée, non parce que la haute densité crée la pauvreté, mais parce que les classes pauvres ne peuvent trouver qu'un logement confiné. Ces auteurs se sont également livrés à une étude expérimentale en chambre avec un nombre variable de sujets, et sont parvenus à une constatation curieuse. Si le nombre d'individus réunis dans une chambre augmente, les hommes entrent en compétition au cours des tests auxquels ils sont soumis, alors que les femmes coopèrent. Peut-être un caractère sexuel inné est-il à l'origine de cette différence de comportement. La conclusion générale de leur étude se rapproche de celle que nous abordions précédemment. La forte densité urbaine favorise les difficultés pour trouver un emploi, un logement, des écoles, des difficultés d'évacuation des nuisances, augmente les causes de pollution. Le problème est avant tout logistique et économique, nous ajouterons politique. Ils pensent, en résumé, que si l'on admet que la forte densité urbaine est la cause de l'agressivité et du crime, la seule solution est de détruire les cités, ce qui pourrait être une erreur, à supposer que cela soit possible. Les cités remplissent fort bien certaines fonctions. Il est peut-être possible de leur permettre d'en remplir d'autres.

En résumé, ce que nous avons voulu montrer au cours de cette étude de la rétroaction de la structure urbaine sur la structure socio-économique qui lui donne naissance, c'est que malgré quelques corrections de

1. Paul EHRLICH et Jonathan FREEDMAN (1971), « Population, crowding and human behavior », *New Scientist and Science journal* 50, 745 : 10/14.

détails, quelques ajustements de parcours, il ne s'agit plus d'un système régulé dont la rétroaction est négative sur la valeur de ses facteurs, mais d'un *système en tendance* qui, si l'on en croit les règles mises en évidence par de tels systèmes, doit forcément aboutir au « pompage », c'est-à-dire à la rupture, si rien n'est fait pour en *changer totalement le type de régulation*.

Ce que nous avons voulu montrer c'est que si la finalité de l'effecteur social est le maintien de sa structure, la ville est un des moyens qu'il utilise pour maintenir celle-ci, mais qu'ignorant sans doute les lois de la cybernétique, il utilise ce moyen en pleine inconscience de ses conséquences à long terme, qui aboutiront probablement à la disparition de cette structure, c'est-à-dire à l'inverse de ce qu'il espérait. Il est probable, en effet, que la structure socio-économique étant essentiellement basée sur le profit, la ville n'ayant d'autre finalité que d'accroître celui-ci, alors qu'elle devrait permettre la disparition progressive des cloisonnements socio-culturels, faciliter la diversité conceptuelle et diffuser la connaissance, une limite pathologique risque d'être rapidement atteinte, une rupture brutale de survenir. Bien sûr, la classe dirigeante devine obscurément le danger de certaines régulations en tendance réalisées par un tel système. Nous avons vu, par exemple, que le profit ayant été à l'origine de l'éloignement du prolétariat des centres urbains et de la naissance des cités dortoirs, un essai d'amélioration, fructueux pour la marchandise et le profit, a consisté à faire de ces cités des centres commerciaux, mais en aggravant la ségrégation socio-économique qu'elles expriment.

Cette ségrégation favorise l'agressivité dominatrice des uns, l'agressivité réactionnelle des autres, favorise l'expression des pulsions hypothalamiques que ne peuvent plus alors contrôler les automatismes sociaux. Elle favorise l'effritement des jugements de valeur nécessaires à la structure socio-économique pour survivre. En effet, dans une telle rétroaction en tendance, tous les préjugés deviennent si évidemment contradictoires avec les faits, que l'esclave le plus soumis ne peut plus y croire. Les automatismes ne répondent plus. Son agressivité prend le dessus, et les morales, les religions déformées, les valeurs soi-disant universelles qu'une classe, longtemps, a pu lui faire accepter à son profit, ne sont plus un stimulus suffisant à endiguer les instincts. Au lieu de déboucher sur une évolution néocéphalisante, on provoque une véritable régression des comportements humains. La seule prise de conscience est celle de l'absurdité apparente du monde moderne.

Et nous allons retrouver une même rétroaction en tendance de la ville moderne sur les facteurs que nous avons décrits à l'effecteur social.

RÉTROACTION DE LA VILLE SUR L'ENVIRONNEMENT.

Une campagne pour la défense de l'environnement focalise l'attention des masses défavorisées vers un problème dans lequel on semble vouloir les rendre aussi responsables, puisqu'elles participent à l'évolution de la civilisation industrielle. Mais elles y participent en tant que force de travail, sans pouvoir de décision. De là à les faire participer au coût de la correction technique des pollutions, comme si elles étaient partiellement responsables, il n'y a qu'un pas. Cette correction risque d'amputer gravement en effet le profit des industries. Mais personne n'indique, par exemple, que cette pollution est la conséquence de ce qu'il est convenu d'appeler l'expansion économique, finalité fondamentale dont le seul objectif est le profit. Comme l'expansion économique a des retombées aussi sur le prolétariat, après en avoir eu de beaucoup plus consistantes sur la bourgeoisie et son pouvoir de domination, la responsabilité d'une protection de l'environnement est présentée comme un problème non seulement national, mais international et planétaire, concernant chacun de nous, chaque homme au monde. Si c'est bien vrai pour les *conséquences* des pollutions, de l'épuisement des ressources naturelles, de la transformation des écosystèmes et de la détérioration de la biosphère, c'est faux, bien évidemment, en ce qui concerne la *responsabilité* de ces processus. Quelle responsabilité peut avoir dans le contrôle de ceux-ci le malheureux robot enfermé dans ces cages successives qui chaque jour l'accompagnent dans son travail, ses déplacements et son sommeil ? Les responsables paraissent bien être tout de même les grandes structures économiques qui permettent à quelques groupes de pression de diriger les affaires du monde. Ce sont elles qu'il faut convertir à la protection de l'environnement, et non point l'habitant des bidonvilles. Mais en l'informant de la pollution, de l'écologie, de l'environnement, en le faisant « participer » au problème, le pouvoir semble jouer un rôle paternel et protecteur, s'entourer de technocrates et de savants, alors que les facteurs socio-économiques, bien que complexes, sont évidents et seuls en cause.

Quand on observe la campagne en faveur des espaces verts, par exemple, on peut se poser la question de savoir jusqu'à quel point règne l'inconscience. On a l'impression que grâce à eux une partie de notre réserve planétaire en oxygène va être restaurée et nos conditions atmosphériques de vie transformées. Bien sûr, il est plus agréable de se promener dans un bois que dans un champ d'épandage. Mais en ce qui concerne l'oxygène, un travail fort bien documenté de Broecker (1970) [1], dans *Science*, montre, par des calculs précis, que l'opinion pessimiste qui voudrait que nous soyons en train de dilapider nos réserves d'oxygène est parfaitement erronée. Si nous continuons à brûler les fuels chimiques au taux croissant actuel de 5 % par an, en l'an 2000 nous n'aurons consommé que 0,2 % de l'oxygène utilisable. Et si nous brûlons toutes les réserves fossilisées connues, nous aurons utilisé moins de 3 % de cet oxygène. L'oxyde de carbone dans les concentrations urbaines atteindrait des concentrations toxiques avant que le contenu en oxygène de l'atmosphère soit diminué de 2 %. Les mers, et non les espaces verts, constituent un énorme réservoir, et l'oxygène moléculaire est une ressource virtuellement illimitée. D'autres problèmes concernant l'environnement sont beaucoup plus importants et redoutables. On peut alors se demander si la publicité donnée par les gouvernements à la protection des espaces verts n'est pas motivée pour détourner l'attention de ces autres problèmes, et surtout de leurs causes socio-économiques profondes.

D'ailleurs, *l'urbanisation*, problème posé à l'échelle mondiale, et qui s'accompagne de l'exode des populations rurales vers les centres urbains dans toutes les régions du monde, résulte de multiples facteurs sans doute, mais avant tout des progrès réalisés dans l'exploitation des sols. Quand une partie importante de l'humanité, agricole, devait il y a quelques années encore assurer,

1. W.S. Broecker (1970), « Man's oxygen reserve », *Science* 168, 3939 : 1537-1538.

avec des moyens relativement précaires, l'alimentation de l'autre partie, citadine, l'exode rural s'effectuait lentement. Aujourd'hui, la mise en œuvre des moyens industriels d'exploitation des sols a eu deux conséquences : l'abandon, d'une part, de la campagne par une proportion grandissante d'individus qui y sont devenus inutiles et ne peuvent plus assurer leur existence par leur travail journalier. La restitution, d'autre part, à la « nature » d'importantes superficies de rendement alimentaire insuffisant. La transformation scientifique de l'agriculture et de l'élevage a donc été une fois de plus à l'origine des transformations de la répartition et des conditions de vie des collectivités humaines. C'est encore le cerveau imaginant, exploité par la technique en vue d'un profit croissant, qui a été à l'origine de ces transformations sans que les principes d'établissement des structures sociales en soient le moins du monde influencés. Le principe de domination, alimenté par le profit, demeure tout-puissant. Certaines villes ont pu bénéficier de cet exode rural et, recyclant la force de travail de l'agriculture et de l'élevage à l'industrie, s'assurer une source importante de main-d'œuvre qui favorisa leur réussite économique.

Le manque d'informations concernant le vécu urbain, les plus hauts salaires, l'attrait des marchandises convoitées du fait de la large diffusion, par la publicité, des informations les concernant, constituent également des facteurs de motivation importants pour accélérer l'abandon des campagnes. L'inefficacité de la petite propriété rurale et son inadaptation à la production agricole industrielle, le fait aussi que l'agriculteur moderne, au contraire de l'ancien, se préoccupe moins de la possession du sol que de son exploitation, furent sans doute également à l'origine de cette désaffection progressive des générations montantes à l'égard des métiers de la terre, ce qui favorisa d'ailleurs le remembrement.

Tous ces problèmes complexes ont fait l'objet d'études techniques approfondies, dans lesquelles nous n'avons nullement l'intention de pénétrer d'une façon qui ne pourrait être qu'incomplète et maladroite. Il en est de même d'ailleurs du problème de la démographie galopante, problème mondial également et sur lequel les opinions les plus diverses ont été exprimées, les études statistiques et socio-économiques les plus étendues ont été réalisées. Si ces problèmes posent très crûment celui de l'avenir de l'espèce et si, en conséquence, il n'est pas permis à l'homme moderne de les ignorer, s'ils intéressent directement le problème de l'urbanisme, ce sont des problèmes de sociologie mondiale, et si la sociologie urbaine n'est pas détachée de celle-ci, si elle en est même plus ou moins le reflet, nous ne pourrons les aborder de façon très générale qu'en abordant le plus grand ensemble, l'ensemble humain, au cours d'un des derniers chapitres.

Par contre, en ce qui concerne *l'urbanisme*, le rôle de la ville sur la transformation de sa niche écologique immédiate doit nous retenir plus longtemps. Il est vrai que nous nous en sommes déjà occupés abondamment, mais de façon indirecte, en parlant du rôle de la ville sur la structure sociale qui lui donne naissance.

Cette structure sociale, en créant la structure urbaine, aménage l'espace écologique à son profit, et nous avons déjà envisagé les motivations qui furent à l'origine de la civilisation industrielle et des mégalopoles contemporaines. Il est certain que le problème essentiel posé par ces dernières est un problème de communications entre la périphérie où s'entasse la force de travail et le centre où elle est utilisée encore le plus souvent. Les solutions ne sont pas nombreuses. L'une consisterait à envisager l'extension des voies de communications dans les trois dimensions de l'espace, au lieu de les maintenir étranglées dans deux. C'est cette évolution qu'amorcent les « échangeurs » qui commencent à se multiplier aux portes des grandes villes. Mais le centre historique, malgré l'accroissement du profit qui pourrait en résulter, en reste encore protégé. Cette solution d'ailleurs n'apporterait, à première vue, aucune modification à la stratification socio-économique qui la rendrait nécessaire. Une autre solution consisterait à bloquer l'extension des mégalopoles et à créer des unités urbaines de moindre importance, mais capables de réunir le lieu de travail, le lieu de résidence, le lieu de loisirs et le lieu d'achats. Un retour en quelque sorte à la ville de la période préindustrielle. C'est cette solution que préconise Mumford (1964) [1] pour retrouver les groupements communautaires.

Une telle évolution paraît déjà se réaliser en Angleterre.

---

1. Lewis MUMFORD (1964). Traduction française de *The city in history*, Éditions du Seuil.

Elle n'exige d'ailleurs aucune transformation profonde des structures socio-économiques existantes, et si les classes dominantes s'aperçoivent qu'elles peuvent ainsi prolonger leur domination sans diminuer leurs profits, il est probable qu'elles utiliseront cette solution. Par ce moyen, elles peuvent encore diminuer les tensions sociologiques internes, sans rien perdre de leur pouvoir que l'évolution anarchique des cités modernes, provoquée par l'aveugle motivation du profit, risque au contraire de remettre en question par l'éclatement de structures sociales stratifiées jusqu'à la caricature.

Par contre, l'évacuation des nuisances et le problème des pollutions, l'intervention souvent maladroite de l'Homme sur les écosystèmes demeurent des problèmes importants posés par l'accroissement démographique, l'urbanisation planétaire, la civilisation industrielle. Les solutions ne sont pas simples. Elles exigent l'étude approfondie des écosystèmes. Les facteurs en cause sont si nombreux, à supposer qu'on puisse même les dénombrer, les classer et les évaluer, qu'ils exigeront l'emploi de machines complexes et de modèles, pour préciser comment ils interviennent les uns sur les autres, et quelles sont leurs résultantes globales, à l'échelon local, comme à celui de la biosphère dans son ensemble. On imagine l'énorme travail en perspective qui est à peine amorcé. Le fait que l'Homme en ait récemment pris conscience est un fait important qu'on ne peut sous-estimer.

Par ailleurs, beaucoup de déchets des industries modernes sont encore chargés d'énergie. Une recherche technique efficace consisterait à découvrir comment cette énergie peut être utilisée, en d'autres termes comment les déchets d'une industrie pourraient être encore la matière première d'une autre industrie à initier, de telle façon que le travail humain sur la matière aboutisse en définitive à des corps simples, faciles à recycler dans les grands cycles de la biosphère : le cycle de l'eau, de l'oxygène, du carbone, de l'azote et des minéraux dont on connaît assez précisément aujourd'hui les mécanismes. Un numéro du *Scientific American* a été récemment consacré à l'ensemble de ces cycles. Nous conseillons d'en prendre connaissance [1].

On peut penser que si une dégradation plus poussée

---

1. *Scientific American* (1970) *223*, 3 : 44-194.

des déchets peut être réalisée par des moyens rentables, capables d'accroître le profit, ces moyens seront découverts. Si, par contre, il ne s'agit que d'engager une part importante des profits actuels pour assurer une détoxification du milieu ou arrêter sa pollution, seule une forte pression de nécessité en fera prendre la décision. Mais dans ce cas, les prix des produits de ces industries seront augmentés d'autant, si bien qu'en définitive ce sera le consommateur qui est également le producteur, mais non point le possesseur des capitaux, qui paiera le prix permettant d'éviter sa propre intoxication. Pendant ce temps, il est probable que la classe dominante ne verra pas diminuer l'importance de son moyen de domination : le profit. Pour le conserver, il lui suffira d'accroître l'inflation dont elle rendra évidemment responsable l'augmentation des salaires et des charges sociales, nécessaires à la conservation du pouvoir d'achat de la classe dominée, sans lequel le profit ne pourrait être conservé.

Lorsque l'oxygène moléculaire apparut dans l'atmosphère terrestre, sous-produit de la photosynthèse, « l'invention » de structures vivantes capables de l'utiliser permit du même coup l'utilisation par elles comme substrat, comme source d'énergie, des produits de déchet des fermentations anaérobies, mécanismes métaboliques utilisés jusque-là par la vie en l'absence d'oxygène. La dégradation plus poussée de ces déchets encore chargés d'énergie inutilisée permit un accroissement des réserves utilisables par la vie, et la production de nouveaux déchets beaucoup plus facilement recyclables : le CO^2 et l'eau.

Le comportement thermodynamique de la biosphère n'est-il pas un exemple à suivre pour les industries humaines ?

RÉTROACTION DE LA VILLE SUR LES BESOINS.

Il n'existe pas d'endroit plus apte à la connaissance des marchandises, donc plus apte à en faire naître le besoin que l'agglomération urbaine : les besoins primitifs, ceux contrôlés par l'hypothalamus d'abord. Besoin de nourriture, excité par l'étalage de tout ce qui se consomme par la bouche, dans la diversité hallucinante de l'abondance pléthorique du marché. Besoin favorisé par la publicité, qui porte à la connaissance les formes encore méconnues ou nouvelles, les lieux de vente et de consommation, grands magasins, supermarchés, restaurants, cafés et bars, centralisations des arrivages dans des halles, dispersion dans les quartiers urbains et suburbains de la marchandise. Besoins du sexe, par le marchandage des rapports sexuels, et le développement non pas de l'érotisme qui n'est pas objet de marché ni de profit, mais de la pornographie, secteur industriel qui rapporte. La domination sociale, rendue possible que par le profit, a trouvé dans l'exploitation commerciale du désir sexuel des formes nouvelles d'expression. Elle s'adresse évidemment surtout à une classe aisée, capable, après son travail, d'éprouver encore un désir sexuel. La prostitution, vieille comme le monde, n'a pas, quant à elle, de préjugés de classe, et il m'est difficile de savoir si depuis l'Antiquité grecque, l'urbanisation croissante, puis la civilisation industrielle l'ont ou non favorisée. Un examen superficiel porterait à croire que le paupérisme la favorise. J'ai peur de l'affirmer, car la vénalité est une caractéristique largement répandue dans toutes les classes sociales, et certains mariages bourgeois sont certainement des équivalents, à peine plus subtils, de la prostitution de la misère. En cela, la libération sexuelle dont certains regrettent aujourd'hui l'extension possède au moins le mérite d'être généralement gratuite, et de ne pas exiger d'équivalent monétaire. En cela, la génération montante se montre nettement plus généreuse que celle de ses aînés qui ne savait ouvrir son sexe qu'en ouvrant en même temps la main. La ville, on le conçoit, a toujours été le lieu de prédilection des rapports sexuels du fait de la densité même qui augmente, peut-on dire, les prises de contact, de l'incognito aussi, car la sexualité ayant toujours été considérée par la morale bourgeoise comme une maladie honteuse, la ville permet dans sa foule propice la réalisation du désir hypothalamique, sans que l'automatisme hippocampique puisse y trouver à redire ; elle y favorise même le commerce.

Quant à l'agressivité instinctuelle, que nous savons liée à la faim et à la compétition sexuelle, elle ne semble pas devoir être accrue par la densité urbaine. Par contre, l'agressivité humaine, résultant des conflits entre les pulsions instinctuelles et les automatismes sociaux, risque d'être aggravée. Nous avons déjà signalé qu'une étude statistique de Ehrlich et Freedman (1971) semble indiquer que le nombre des crimes est fonction de la misère et non de la densité de la population. Cependant, si la densité urbaine n'est pas cause de la misère, notent ces auteurs, il est certain que la misère est une cause d'accroissement de la densité des populations [1]. La ville accroît certainement par ailleurs cette forme d'agressivité humaine que l'on décrit sous le terme favorable et bienveillant de compétitivité. Le groupe social retire un bénéfice certain, en effet, de la transformation de la pulsion de domination sexuelle, sous le contrôle des automatismes acquis qu'il crée et favorise. La lutte compétitive permet de séparer les vainqueurs des vaincus, de créer une classe dominante et une classe dominée. Or, elle favorise le cerveau des vieux mammifères, celui de la mémoire et du conformisme aux règlements pseudo-culturels de la classe dominante. Le cerveau imaginant, celui de l'invention, des progrès techniques qui influencent la production, la vente et la diffusion des marchandises, se trouve alors sous la dépendance du précédent et sert au maintien de la structure de classe en développant le profit.

En effet, si les motivations fondamentales sont bien celles, hypothalamiques, que nous venons de schématiser, les besoins issus du fonctionnement du cerveau des vieux mammifères, des automatismes limbiques, sont certainement les plus nombreux. Le fonctionnement limbique, sous la dépendance des automatismes que l'apprentissage social crée depuis la naissance, permet de canaliser les pulsions précédentes dans les sens utiles à la société. Ils en perdent le plus souvent plus ou moins complètement leur visage instinctuel pour se parer du déguisement des plus beaux sentiments moraux. La ville est le lieu rêvé de la création de tels automatismes. C'est en elle que les concepts, les idéologies, les comportements désirés par la classe dominante pourront trouver la meilleure diffusion, profiter du mimétisme et de la répétition. La mode n'est-elle pas un exemple très simple de la puissance d'imprégnation du système limbique par un conformisme de masse dont le seul, l'unique but, est le profit? Mais il faut penser que la presque totalité

---

1. P. EHRLICH et J. FREEDMAN (1971), « Population, crowding and human behaviour», *New Scientist and Science Journal* 50, 745 : 10-14.

des comportements des habitants d'une ville moderne ne sont que l'expression stéréotypée, reproduite à des millions d'exemplaires, des préjugés et des lieux communs d'une époque, transmise, diffusée et automatisée par les *mass media*. Leurs besoins sont tous les mêmes et permettent de prévoir la production des biens de consommation et culturels, puisque ces besoins seront exactement ce que la classe dominante en fera, en vue de l'amélioration croissante du profit par l'expansion. Quel meilleur endroit que la ville pour créer ces automatismes, donc ces besoins, puisqu'en son sein aucun regard, en nul endroit, ne peut se poser sur un objet dont la finalité n'est pas celle du profit. La ville moderne possède à sa disposition, énormément concentrés en un seul lieu, tous les systèmes limbiques sur lesquels elle peut agir alors avec un maximum d'intensité et de répétition, en vue de les automatiser au profit de la classe dominante. Bien sûr, celle-ci poursuit l'individu en zones rurales, et il n'est même pas interdit de penser que nous verrons un jour sur le sommet de l'Everest une réclame de Coca-Cola. Aussi, est-il utile de canaliser les déplacements, et l'autoroute ajoute à ses avantages nombreux celui de pouvoir concentrer la publicité. La ville la focalise. La ville, c'est la publicité. Elle est même objet de prestige, la marque de la réussite commerciale et industrielle d'une structure sociale dans un Etat. La ville permet de voir, entre les mains d'un autre, l'objet que l'on ne désire que parce que l'on aperçoit la possibilité de le posséder. La ville est le lieu où se crée la mode, mais il n'y a pas de mode que vestimentaire. Celle-ci est un moyen évidemment de se sentir beau, admiré, recherché. La mode est fondamentalement l'expression des pulsions sexuelles et du désir. Mais il y a aussi ce que j'appellerai une mode hiérarchique, le signe qui vous classe dans une hiérarchie sociale à un échelon enviable, le signe qui fait qu'on ne vous confond pas, vous qui avez cet avantage considérable d'être « cadre » avec un « non-cadre », un O.S. (ce signe ne ne signifie pas « Officier supérieur » dans la pratique courante). Or, c'est votre type de consommation qui vous distingue, vous caractérise, votre type d'appartement, de voiture, la façon d'occuper vos loisirs. Tout cela est objet de marché et rend compte de votre « standing », de vos ressources, critère fondamental de la réussite, à moins que vous ne soyez militaire ou prêtre, car dans ce cas c'est le galon ou la barrette qui possèdent d'ailleurs leur équivalent monétaire, mais déprécié. Notez que ce n'est jamais votre créativité qui vous classe, à moins que celle-ci n'aboutisse à une réussite marchande, qu'elle n'entre dans le cycle du profit pour quelqu'un. Il y a aussi la mode hiérarchique du langage, celle du théâtre, celle du livre, celle des opinions de toutes sortes, celle du conformisme et de l'anticonformisme, celle du nom et du prénom, de la moquette et de la machine à laver, de la télévision en couleur et du journal du soir. La ville fournit l'échelle de tout cela, détermine les critères, établit les signes. Tout s'y achète et tout s'y vend : les amitiés, les honneurs, les titres, les grades, et les professions de foi. C'est la fête foraine, la foire du Trône de toutes les valeurs, le carnaval triste des marchands. C'est le lieu du concours général des sexes qui se camouflent dans le caleçon du langage, celui des hypothalamus qui se pavanent, déguisés en professeurs, directeurs, présidents, voire en présidents-directeurs généraux. C'est à la ville que se concentrent le mieux les hormones sexuelles au sein des hippocampes qui peuplent les académies, les commissions, les conférences pour régler l'engineering et le marketing ainsi que le timing du management.

Ainsi, l'homme moderne a besoin de la ville, car la ville décide de ses besoins.

RÉTROACTION DE LA VILLE SUR LES INFORMATIONS.

On ne peut avoir besoin que de ce que l'on connaît et de ce que l'on imagine. Mais pour imaginer, pour créer de nouvelles structures à partir des éléments mémorisés, il faut d'abord mémoriser des éléments divers, et savoir qu'ils peuvent être structurés autrement que de la façon par laquelle la niche environnementale nous les a imposés. Il faut donc des sources d'informations variées d'une part, et la connaissance ou du moins la conscience des automatismes, des jugements de valeurs, car ceux-ci interdisent toute structuration différente, tout processus d'imagination. Ou bien alors l'imaginaire ne sera qu'une fuite du réel, un rêve éveillé, si ce n'est un refuge dans la toxicomanie ou le mythe de la sublimation. Certaines œuvres d'art peuvent en naître, mais ce sera généralement un art individualiste, romantique, bien que « chaque homme contienne en lui l'humaine condition ».

Le rôle de l'information est donc fondamental soit dans sa forme la plus banale, qui consiste à porter à la connaissance les objets qui vont être à l'origine des besoins, soit pour faciliter ou supprimer l'imagination, seul instrument d'évolution dans tous les domaines, mais source également de besoins imaginaires. Il faut reconnaître au monde moderne un système de diffusion des informations extrêmement riche, efficace et rapide. Ce qu'il est convenu d'appeler les *mass media*, presse, télévision, radio, permettent de diffuser à la surface du globe une quantité considérable d'informations. Cette quantité est si considérable qu'il est généralement difficile à l'individu qui en est le récepteur d'y mettre un peu d'ordre, de structurer à mesure qu'il reçoit ces informations. Il a l'impression de se noyer dans cette mer houleuse, sans apercevoir à l'horizon un plan solide, un îlot de certitude. Il les classe donc au gré de ses jugements de valeur, c'est-à-dire en réalité au gré des automatismes que la niche socio-économique où il vit lui aura imposés. Les antagonismes qui surgissent alors entre les différents sous-ensembles qui naissent de ce classement purement affectif, mais explicité par un langage logique presque toujours, accroissent encore son anxiété, si quelques zones de lucidité subsistent dans son esprit. Mais, il est le plus souvent si bien automatisé que ces antagonismes ne lui sont même pas conscients, et que les contradictions qui en résultent disparaissent dans le brouillard consolant du discours logique.

C'est alors que les relations qu'il n'a pas le temps d'établir entre ces informations déjà triées, tamisées par le pouvoir, qui aujourd'hui est avant tout le pouvoir de contrôle des *mass media*, seront classées, mises en forme, mises en relation d'une certaine façon par ce même pouvoir, de telle sorte que ces automatismes soient améliorés, perfectionnés, et qu'il n'ait même plus à penser. On peut d'ailleurs se demander jusqu'à quel point le pouvoir lui-même est conscient de la manipulation qu'il opère des informations, et s'il est capable de concevoir leur mise en relation suivant une structure différente de celle exigée par le profit de la classe dominante. Il est certain en tout cas que, quel que soit ce pouvoir, il ne laisse passer en général que les informations capables de ne pas lui nuire, et qu'il les présente sous la seule forme qui lui soit favorable. Ce que l'on nomme le plus souvent l'impartialité de l'information est une impartialité au niveau des sous-ensembles conceptuels ou idéologiques, mais qui ne remet pratiquement jamais en cause le plus grand ensemble, l'ensemble de base, admis comme une évidence non discutable.

La ville joue dans ce système un rôle de premier plan. Cependant, les *mass media* envahissent également la campagne. Mais, nulle part ailleurs qu'en ville, la densité de la population ne permet une meilleure mise en forme de l'opinion. Inversement, nulle part mieux qu'en ville, ne pourront circuler les informations non conformes aux désirs du pouvoir par les moyens non contrôlés par ce dernier, de l'affiche à la presse clandestine et au bouche à oreille, ce qui explique sans doute pourquoi la ville est aussi le lieu des poussées révolutionnaires quand elles éclatent.

Mais surtout la structure que nous avons décrite à la mégalopole moderne paraît un moyen extrêmement favorable au maintien du pouvoir de classe. L'absence de vie communautaire, l'isolement de l'individu, son abrutissement, sa fatigue nerveuse, son absence de contact avec les autres en dehors des gestes stéréotypés exigés par son travail et ses déplacements journaliers, en font une proie facile à l'automatisation de ses jugements par le pouvoir. Non seulement il n'a plus les moyens de se faire une opinion différente de celle qui lui est imposée, mais encore il n'en a plus le temps. Celui qui lui reste est canalisé vers les délassements les plus absurdes, les plus avilissants, sous prétexte que ce sont les seuls qu'il puisse comprendre, donc apprécier, et parce qu'en réalité ces délassements eux-mêmes sont une marchandise rentable, renforçant la domination de classe. L'individu devient ainsi une proie facile, répétons-le, aussi bien pour les préjugés les plus forts, que pour tous les dogmatismes quels qu'ils soient. Même quand ceux-ci sont contraires aux préjugés précédents, ils sont présentés et diffusés sous une forme tout aussi simpliste et automatisée.

L'individu devient, en ville, l'objet exploité par toutes les formes de domination, l'objet que celles-ci méprisent même quand elles le flattent, l'instrument manipulé par elles, et dont elles utilisent aussi bien l'ignorance que la colère quand elle éclate.

La force des slogans mille fois répétés en vue de l'établissement d'automatismes capables de motiver l'affectivité la plus primitive est réelle. La ville en est le lieu de diffusion privilégié.

En résumé, pour qui détient le contrôle des informations, pour qui est capable de dépenser les sommes énormes exigées par la publicité sous toutes ses formes, des plus ouvertes aux plus camouflées, les besoins des masses peuvent être orientés, prévisibles statistiquement. L'opinion de ces masses, sur quelque sujet que ce soit, sera celle que les moyens précédents auront permis de diffuser, et d'automatiser. Les divergences apparaîtront sur des sous-ensembles, mais jamais sur l'ensemble socio-économico-politique planétaire auquel toute recherche humaine devrait aboutir. De cette façon, le mode de vie et les options de la classe dominante seront vus à travers le prisme déformant de l'information, et aboutiront toujours à la protection et au maintien de cette classe dominante. À tel point que si dans la classe dominée, certaines réactions antagonistes se font jour, ce sera dans le but d'accéder aux avantages de la classe dominante, et en remplacer la dictature par une autre. La dictature des besoins n'est jamais remise en cause, si ce n'est d'une façon relative dans l'optique de ceux qui les orientent. La falsification des informations se retrouve dans tous les systèmes, et constitue un élément fondamental de la survie de ces systèmes. On peut même parfois se demander s'il s'agit de la part des pouvoirs d'une véritable falsification, tant elle peut apparaître grossière et simpliste, et s'il ne s'agit pas pour eux simplement de l'impossibilité d'envisager un fait dans une optique différente de celle nécessaire à leur propre croyance en eux-mêmes. Tout se passe comme si, en présence d'un son complexe, ils ne pouvaient entendre et donc retransmettre qu'une seule longueur d'onde.

LES MOYENS.

Par quels moyens le groupe social, avec sa structure propre, produit-il la ville ?

Il y a les spécialistes, et bien souvent les problèmes de l'urbanisme sont réduits aux seuls problèmes spécialisés, car ils demeurent dans le domaine des sous-ensembles, et leur nombre, leur apparente diversité cachent les niveaux d'organisation plus élevés, et interdit la mise en place de ces sous-ensembles spécialisés dans les ensembles plus généraux. Encore une fois l'orientation des informations, par la classe dominante, la focalisation par elle de l'attention des masses vers ces problèmes secondaires empêchent qu'elles s'intéressent aux problèmes fondamentaux qu'elles ignorent.

Il est bien sûr que le technicien principal, l'architecte urbaniste, n'a aucun pouvoir de décision. Ses projets doivent se plier aux volontés des « payeurs » tant dans leur localisation dans l'espace, que dans leur prix de revient. Les ingénieurs des Ponts et Chaussées eux-mêmes sont soumis aux pouvoirs financier et politique, ce dernier n'étant généralement que l'expression du premier.

Puis viennent tous les spécialistes de second ordre : entrepreneurs, industriels, commerçants pour qui la ville ne représente qu'un moyen de faire du profit, à qui l'on ne demande d'ailleurs pas d'avoir d'idées d'ensemble, et qui entrent pour elle en lutte concurrentielle. L'architecte couvre toutes ces manipulations marchandes, par l'excuse de la forme architecturale, par l' « Humanisme » de sa démarche et de ses réalisations. Comme l'a écrit Le Corbusier : « Urbaniser n'est pas dépenser de l'argent, urbaniser, c'est faire de l'argent. » Comme le rappelle H. Tonka [1], « pour construire du solide, pas besoin d'intellectuels, ce qu'il nous faut c'est du capital et un architecte qu'on pourra laisser libre, dans le cadre de la demande, et donc de la rentabilité. De toute façon, il n'est pas dangereux »... « En France, la décision a une fâcheuse tendance à devenir le monopole du pouvoir politique, celui-ci s'instituant comme régulateur entre "l'intérêt de la collectivité (entendre l'intérêt de classe, de la classe bourgeoise) et les intérêts particuliers (entendre de certains capitalistes voulant s'enrichir au risque de compromettre le pouvoir de classe lui-même)" » (H. Tonka, 1970).

« *Gain and possession must be rejected as goal towards wich all efforts should be directed* » (C.O. Gjerlov-

---

1. Voir H. TONKA (1970), *Urbaniser la lutte de classe*, Utopie, Paris.

Knudsen, 1971) [1]. Or, le pouvoir de décision lui-même n'est qu'apparent, car promoteurs, banquiers, industriels, etc., ne sont que les jouets de leur motivation fondamentale : « *Gain and possession.* »

Evolution et Révolution.

Nous venons de constater au fil de ces pages que la ville, comme tout autre moyen utilisé par la structure socio-économique qui lui donne naissance, avait pour résultat d'accuser les caractéristiques inhérentes à cette structure. Il semble qu'il n'y a pas là de contradiction avec ce que nous n'avons cessé d'exprimer, à savoir qu'un organisme vivant avait pour finalité fondamentale le maintien de sa structure. Rappelons encore que nous comprenons le terme de finalité dans le sens de : « Programmé de telle façon que son effet soit... » Nous avons noté que la finalité des organismes vivants n'est pas un but extérieur à eux-mêmes comme pour les mécanismes construits par l'Homme, mais que leur action se réfléchit au contraire sur eux-mêmes, et aboutit au maintien de leur propre structure. Nous avons enfin signalé que suivant le niveau hiérarchique de la structure vivante, la conservation de la structure d'un niveau particulier d'organisation passait par la conservation de la structure de l'ensemble des niveaux d'organisation.

On peut objecter que le choix par l'Homme d'une finalité résultant de l'observation des processus vivants n'est pas lui-même une observation objective, mais un « choix » guidé par des considérations pulsionnelles inconscientes, ou bien le résultat d'une observation forcément incomplète parce que limitée par nos connaissances scientifiques du moment. On peut objecter en quelque sorte que, dire que la finalité d'un être vivant est le maintien de sa structure, sa survie, n'est tout au plus qu'un constat temporairement satisfaisant, aussi longtemps que nous n'aurons pas acquis les connaissances nous permettant de lui en trouver une autre. Tout cela est vrai. Notons cependant que si le maintien de leur structure n'était pas leur finalité première, il n'y aurait pas d'êtres vivants, il n'y aurait pas de structures

---

1. C.O. Gjerlov-Knudsen (1971), *Man as the administrator of the globe*, Sélandia Ltd, Copenhagen.

vivantes, puisque leur organisation complexe, soumise au deuxième principe de la thermodynamique est si fragile, que si toutes les activités qui la caractérisent n'avaient pas pour but le maintien de cette organisation, celle-ci ne pourrait même pas apparaître. Bien sûr, ce n'est pas toujours immédiatement évident du fait de l'existence, dans les organismes les plus simples comme dans les plus évolués, de niveaux d'organisation successifs. C'est ainsi que l'on est tenté de dire que la finalité du cœur, par exemple, est d'assurer la mobilisation de la masse sanguine. C'est effectivement une pompe, un mécanisme, et dans l'étude de la dynamique circulatoire c'est bien cet effet que nous choisirons pour le décrire. Mais en assurant sa fonction de pompe, il assure l'alimentation des tissus et permet l'évacuation des déchets résultant de leur fonctionnement, ainsi que l'échange d'un certain type d'information entre eux. Etant lui-même un tissu, il assure bien sa propre survie, le maintien de sa propre structure, en assurant celui de l'organisme entier. Nous pourrions multiplier les exemples à tous les niveaux d'organisation de la matière vivante, des molécules enzymatiques à l'organisme entier placé dans son environnement. Et c'est en définitive parce que l'autonomie motrice de celui-ci lui permet d'agir sur l'environnement au mieux de sa survie en tant qu'organisme, que la survie de tous les niveaux d'organisation, qui réalisent l'entité globale, peut être obtenue. Mais en retour, c'est par l'action de chaque niveau d'organisation que l'autonomie motrice de l'ensemble à l'égard du milieu, nécessaire à la survie, peut être conservée.

Nous avons ailleurs développé depuis longtemps ces notions qui sont si évidentes pour un biologiste qu'il a du mal à les limiter à l'organisme, et qu'il est évidemment tenté d'explorer l'analogie à des niveaux de complexité supérieurs : ceux des organismes sociaux.

C'est là que d'autres notions exprimées au début de cet ouvrage, et qui n'avaient alors que peu de relations apparentes avec le problème de l'urbanisme, vont nous être utiles. Nous avons distingué l'aspect thermodynamique des processus vivants et leur aspect informatif, structural. Nous avons rappelé que « l'information n'était ni matière, ni énergie », mais seulement information. Cependant, l'information a besoin d'un support énergétique pour la véhiculer. L'information fournie par un télégramme a besoin de toute la thermodynamique mise en jeu par la poste pour parvenir à son destinataire. La pensée même de celui qui l'a rédigé a sa source dans l'énergie solaire transformée, et si l'on suspend son alimentation énergétique, devenu un cadavre, il ne sera à l'origine d'aucune information télégraphique. Un organisme vivant a *donc besoin de trouver dans son milieu une source énergétique et informationnelle.* D'autre part, son fonctionnement dégradant l'énergie, il rejettera dans le milieu des déchets qui vont transformer ce milieu tout en l'appauvrissant, à moins que ce milieu soit restauré grâce aux écosystèmes, par le recyclage des éléments rejetés ou par l'attention qu'y porte l'expérimentateur qui le renouvelle opportunément.

Sur le plan informationnel il en est de même, à la différence près que l'action de l'organisme sur le milieu peut accroître la quantité d'informations contenues dans le milieu, comme elle peut au contraire la diminuer. Bien qu'intimement liées on ne peut confondre les notions d'entropie et d'information, puisque l'information ne peut se passer de l'entropie créée par son support énergétique sans lequel il n'y aurait pas d'information possible. Enfin, comme l'a souligné J. Sauvan, l'information a besoin d'un récepteur qui la capte, et le plus beau poème chinois, aussi riche d'information qu'il puisse être, sera lettre morte pour celui qui ne connaît pas cette langue.

* *
*

L'application à la sociologie urbaine des quelques notions précédentes ne nous paraît pas dénuée d'intérêt. Peut-on dire tout d'abord que la finalité d'un groupe humain ou d'une structure socio-économique est sa survie, le maintien de sa structure? Nous le pensons et nous ne chercherons même pas à en fournir des exemples, car le lecteur constatera sans peine, en y pensant un peu, que *tous* les exemples sont bons. En d'autres termes, nous n'imaginons pas de groupe humain ou de structure socio-économique dont la finalité serait par principe et de propos délibéré son auto-destruction. Même le suicide d'un individu peut être considéré comme son dernier message, comme sa façon ultime de se conserver tel qu'il se conçoit. Encore est-ce là un cas limite, que d'aucuns diront pathologique, et qui ne peut être généralisé sans envisager alors la disparition de toute l'espèce humaine, si l'instinct de mort, sur lequel Freud, notons-le, n'a jamais été très explicite ni bavard, devait l'emporter sur celui de plaisir.

Ainsi, *ou bien nous considérons un groupe humain comme un sous-ensemble, une partie d'un ensemble plus grand, ou nous le considérons isolément dans son milieu, dans son environnement social et géoclimatique.* Si nous le *considérons isolément*, sa finalité, assurer sa survie, se fera forcément, comme c'est le cas évident pour un organisme animal, en contrôlant son environnement social et géoclimatique, en le dominant. Dans ce cas, sa survie risque d'être assurée *contre* les autres groupes humains. Il s'appropriera les ressources énergétiques du milieu aux dépens de l'approvisionnement des autres structures vivantes que ce dernier contient également. Analogiquement, c'est comme si un organe ou groupe cellulaire dans un organisme assurait sa survie et son développement *aux dépens* de ceux des autres organes ou tissus du même organisme. C'est un peu ce qui se passe dans le cancer, qui s'accompagne aussi, notons-le, d'une homogénéité, d'une dédifférenciation cellulaire, d'une absence de diversité, tous caractères facilitant la multiplication, mais non l'évolution.

Si nous considérons maintenant le groupe humain *comme un sous-ensemble d'un ensemble plus grand*, ce dernier ne peut être que l'espèce, sans quoi tout sous-ensemble de l'espèce reproduira les caractères antagonistes que nous venons de signaler. Et sans être particulièrement optimiste, il semble bien tout de même que cette planétisation s'opère lentement au cours des siècles. Nous dirons quelques mots plus tard concernant le déterminisme de cette évolution.

Ainsi l'analogie biologique, que nous voulons très limitative et la plus stricte possible (à partir du moment où nous admettons qu'un groupe humain organisé constitue une entité vivante d'un niveau supérieur aux organismes individuels, mais soumis sans doute aux mêmes lois que ces derniers qui en constituent les éléments, comme à un niveau moins élevé d'organisation les cellules constituent les éléments d'un organe), nous oblige à considérer que la finalité de ce groupe humain, en assurant sa propre survie, doit être d'assurer la survie de l'espèce.

* * *

Revenons à ce que nous disions au début. Nous savons que pour maintenir la valeur d'un effet, celui-ci doit par *rétroaction négative* contrôler la valeur des facteurs qui lui donnent naissance, la maintenir dans un certain domaine. Si la finalité de l'effecteur est le maintien de sa structure, comme nous venons de l'admettre en ce qui concerne les formes vivantes, la rétroaction devra contrôler négativement la valeur des facteurs qui assurent la constance de l'effet, donc de la structure : maintenir ces facteurs dans un certain domaine.

Or, c'est bien cela que réalise le contrôle des informations par l'intermédiaire de celui des *mass media*, ainsi que par l'intermédiaire du contrôle des informations, le contrôle des besoins. Les structures socio-économiques capitalistes ou socialistes contemporaines, en assurant le filtrage des informations, et l'orientation des besoins, maintiennent ces facteurs dans un domaine favorable et nécessaire à la constance de l'effet. Cet effet, pour un organisme vivant, étant le maintien de la structure socio-économique envisagée. Des différences existent, bien sûr, tenant à l'effecteur lui-même. Par exemple, en pays capitaliste, la classe dominante assurant sa domination par l'intermédiaire du profit utilise les informations pour accroître les besoins, qui accroissent la vente et la production des marchandises, donc le profit. Mais il faut bien noter que, ce faisant, si la rétroaction est bien négative à l'égard d'autres informations qui peuvent être considérées comme des facteurs négatifs de l'effecteur, cette rétroaction *négative* sur des facteurs *négatifs* devient un facteur positif. Il s'agit donc, en définitive comme nous l'avons déjà laissé soupçonner, d'une *rétroaction en tendance* et non en constance. Elle est sans doute à la base de l'expansion économique, comme elle est à la base de l'évolution historique du capitalisme vers le système monopolistique contemporain. Une rétroaction négative sur la valeur des facteurs positifs assurerait la constance de l'effet. L'effet étant pour un organisme vivant le maintien de sa structure, nous serions bien en présence d'une régulation en constance. Malheureusement, le but a été oublié au cours des siècles, et remplacé par un moyen d'atteindre ce but : le profit. *L'accroissement constant et obligatoire du profit, considéré comme effet, transforme donc bien le régulateur en constance en un régulateur en tendance, qui doit forcément être soumis au pompage.*

En pays socialiste jusqu'à maintenant, en admettant que le profit matériel, celui résultant de la vente des marchandises, ne soit plus le moyen utilisé par une classe dominante pour assurer son pouvoir de gestion et de domination, le même contrôle des informations et des besoins assure la stabilité de la structure socio-économique existante, mais en se privant de l'aiguillon trivial du profit pour assurer l'amélioration générale du train de vie que procure l'expansion économique croissante portant sur les biens de consommation.

Alors même que les rapports de production ont pu se transformer, que le « pompage » qui résulte de la recherche du profit et qui s'exprime par l'inflation en pays capitalistes a pu être éliminé sur le plan économique, c'est-à-dire thermodynamique, il persiste encore sur le plan informationnel. Or, le plan informationnel est celui des structures, des structures sociales en particulier. *Les rapports de production* ont été en principe transformés, sans que soient transformés pour autant *les rapports de domination*.

Nous retrouvons donc une fois de plus cette conclusion sur laquelle nous avons buté presque à chaque page de cette étude, et que nous pouvons maintenant formuler ainsi : *La structure des sociétés humaines est essentiellement la résultante, à un niveau d'organisation plus élevé, de la structure biologique des éléments individuels qui les constituent.* Après l'étude que nous avons faite des bases biologiques des comportements humains, il nous paraît certain que la structure des sociétés humaines est toujours la conséquence de la domination de certains individus, ou de certains groupes, sur d'autres individus ou d'autres groupes. Quelles que soient les transformations plus ou moins profondes réalisées dans les rapports thermodynamiques de ces individus entre eux, tant que l'information n'aura pas atteint la structure biologique, les structures sociales resteront fondamentalement les mêmes et basées sur la domination. Bien plus, quelles que soient les variantes adoptées ici ou là, toutes les régulations utilisées par ces structures ne feront qu'accentuer leurs caractéristiques dominatrices, jusqu'à ce que le « pompage », les régulations en tendance, périodiquement, les brisent. Mais quelle que soit la forme énergétique sous laquelle elles se reconstituent après ces épisodes révolutionnaires, un groupe dominant reprend immédiatement la direction de la structure, et les mêmes régulations en tendance en assurent progressivement d'abord la stabilité, puis le développement et, enfin, la chute.

*
* *

Un système régulé n'évolue pas, il se maintient. Encore pour se maintenir est-il nécessaire qu'il soit régulé en constance par des rétroactions négatives. Comment se fait-il que nous constatons alors une prépondérance des régulations en tendance à rétro-actions positives dans le contrôle par elles-mêmes des structures socio-économiques contemporaines, sans cons-tater, malgré le désir que l'on peut en avoir parfois, que ces structures courent à leur perte immédiate ?

Nous constatons des rétroactions positives sur leurs facteurs et sur elles-mêmes dans les sociétés capitalistes parce que, pensons-nous, elles ont confondu le moyen et la fin. Leur survie, en tant que structure capitaliste, structure de classes économiques, est fonction du profit de la classe dominante, qui en a besoin pour maintenir son pouvoir, donc la structure de classe. Or, très rapide-ment, ce n'est plus le maintien de cette structure qui est devenu l'objectif fondamental, mais le profit. C'est ainsi que tout ce qui augmente le profit devient un but, même s'il doit aboutir à la destruction, à plus ou moins lointaine échéance, de la structure capitaliste en question. Mais cette rupture, prédite par Marx à brève échéance, comment se fait-il que, comme dans tout système en état de « pompage », elle ne soit pas déjà survenue ? Il y a à ce retard sans doute plusieurs raisons. L'une est que, chaque fois que les tensions internes de la structure, l'opposition des classes en particulier, deviennent trop aiguës, la classe dominante préfère à la rupture révolu-tionnaire, dont les lendemains sont indécis pour elle, une adaptation portant sur l'amélioration des conditions de vie de la classe dominée, tant que cette amélioration n'entame pas ce qu'elle croit être son pouvoir de décision, autrement dit de domination. Là encore l'amélioration est purement thermodynamique, mais non informa-tionnelle. En améliorant les conditions matérielles d'existence, uniquement matérielles notons-le bien, la classe dominante calme les appétits, diminue l'agressivité de la classe dominée et, par-dessus le marché (c'est le cas de le dire) augmentant temporairement le pouvoir d'achat de cette dernière, augmente secondairement le profit grâce auquel elle domine. Mais dans tout cela, la structure socio-économique reste la même; on peut même penser qu'elle s'accuse. Une autre raison de sa survie prolongée est sans doute sa généralisation progressive à un nombre croissant de groupes sociaux, par unification et internationalisation. En réalité, les luttes compétitives plus ou moins localisées, nationalisées, ont abouti à la disparition des plus faibles et à la domination des grands monopoles internationaux. A chaque étape, une structure a bien disparu par « pompage » pour faire place à celle d'un niveau d'organisation immédiatement supérieur, cela du point de vue thermodynamique encore, non point informationnel. L'exploitation de l'environnement s'est également élargie et vient buter aujourd'hui sur la révolte du tiers monde à l'échelon planétaire.

Là encore si les rapports entre les structures socio-économiques et l'environnement écologique et humain se sont considérablement étendus, la structure fondamentale a persisté, les rapports de domination sont restés les mêmes, bien qu'ils s'exercent entre des ensembles beaucoup plus vastes, des masses humaines énormes. Le capital n'a plus de patrie, le prolétariat ne devrait plus en avoir.

En résumé, il semble que l'on puisse dire que depuis son apparition au néolithique, avec la fixation au sol, l'agriculture et l'élevage, la création des réserves, puis des monnaies, l'urbanisation et la division du travail, le capitalisme privé ou d'État, n'a pas structurellement changé, bien que l'évolution des techniques, surtout à partir de la révolution industrielle qu'elle a autorisée, ait pu en changer les moyens d'expression et de domination. Il n'a pas structurellement changé parce que la structure biologique des comportements qui en est le fondement est restée la même. Il y a donc eu évolution thermodynamique, mais non point informationnelle, structurale. D'autres diraient évolution quantitative, mais non qualitative.

En d'autres termes, si nous considérons qu'il n'y a d'évolution que des structures, il n'y a pas eu d'évolution socio-économique. L'évolution technique jusqu'ici n'a rien changé : il y a toujours et partout une classe dominante et une classe dominée. Une classe détenant la connaissance technique, indispensable pour agir et croire que l'on décide, et une classe qui en est privée. La propriété est devenue celle des moyens de production,

puis dans certains pays celle de la décision. Elle sera
sans doute prochainement celle de la connaissance. Le
pouvoir et la domination de ceux qui possèdent sur ceux
qui ne possèdent pas se perpétuent.

⁎

Il n'est d'ailleurs pas absolument exact de dire qu'une
société qui n'évolue que sur le plan technique, n'évolue
pas parallèlement sur le plan des structures socio-économiques fondamentales. Sans doute, si une transformation
des structures peut se concevoir par la déstructuration
de celles qui existent, il faut aussi de nouvelles informations pour organiser les structures nouvelles. En leur
absence, même si la structure naissante est différente de
celle existant déjà du fait de l'apparition de nouvelles
relations entre les éléments, il y a peu de chances pour
qu'un progrès véritable soit enregistré. Ce progrès n'est
concevable que s'il résulte d'un accroissement des informations. Si celles-ci concernent exclusivement le monde
matériel, s'il s'agit seulement d'un enrichissement des
connaissances thermodynamiques, l'évolution sera confi-
née à l'aspect technique, mais n'entamera pas la structure
sociale que nous avons considérée comme une structure
vivante. Les rapports de domination persisteront.

Cependant les progrès récents concernant les processus
biologiques, et tout particulièrement la biologie des
comportements humains, sont bien la conséquence, nous
l'avons dit, des progrès antérieurs de nos connaissances
physiques et thermodynamiques. C'est par l'enrichissement de nos connaissances concernant le monde de la
matière que, secondairement, nous avons pu enrichir
nos connaissances concernant le monde de la vie. En ce
sens, l'évolution scientifique des sciences de la matière,
exploitée d'abord par le profit, a permis l'apparition
d'une autre source d'informations concernant la structure
interne de l'effecteur, ou plus précisément de celle de ses
éléments, les individus. Il s'agit d'une base scientifique
nouvelle de la sociologie, qui trouve ses faits expérimentaux, non dans l'observation des phénomènes au niveau
des relations interindividuelles et des groupes sociaux,
mais au niveau des relations dynamiques des facteurs
physico-chimiques qui sont le support matériel de ces
comportements relationnels, autrement dit au niveau des

bases biologiques des comportements des individus en société.

Il nous paraît maintenant évident qu'en dehors de cette connaissance, aucune évolution fondamentale des structures sociales n'est possible. Mais il reste à savoir comment utiliser cette connaissance pour faciliter l'évolution des sociétés humaines.

La déstructuration d'une structure existante, non accompagnée d'un accroissement des informations concernant les structures des éléments individuels qui la constituent, est peu susceptible, pensons-nous, de déboucher sur un progrès structural de la société. La disparition des relations interindividuelles existantes, des rapports de production et de domination, la création d'un désordre momentané dans ces relations avec l'espoir de les voir se reconstituer autrement et de façon plus « harmonieuse » sans apport d'informations supplémentaires concernant un niveau d'organisation non appréhendé jusqu'à maintenant en dehors des discours des philosophes, celui des bases biologiques des comportements individuels, nous paraissent constituer un pari, un acte de foi, une croyance au miracle.

C'est du fait du progrès récent des sciences biologiques que nous sommes parvenus, nous en sommes persuadés, à une époque cruciale de l'évolution humaine, car grâce à ce progrès la conscience sociale, et les structures qui la sous-tendent risquent, pour la première fois depuis le néolithique, d'être profondément transformées, pour peu que les pouvoirs, ici ou là, en permettent la diffusion. Ne la permettraient-ils pas, qu'il n'y a pas d'exemple qu'une vérité scientifique ne réussisse pas, après un temps plus ou moins long, à s'imposer et à diffuser d'une façon générale. L'histoire de Galilée n'est qu'un exemple banal de l'impossibilité pour un pouvoir coercitif d'interdire longtemps la diffusion des connaissances. Ainsi le phénomène mutationnel capable de faire basculer, pensons-nous, dans une orientation nouvelle toute l'histoire de l'humanité, est la naissance de la biologie. Avec elle, en effet, l'Homme ajoute à sa connaissance du monde physique en dehors de lui, celle du monde vivant dans lequel il s'insère et qui s'organise en lui.

Le pas franchi est certainement considérable. Il suffit de penser au fait que depuis des millénaires l'Homme n'a organisé que le monde physique qui l'entoure pour pro-

téger d'abord sa chair fragile, puis pour assurer la
survie des communautés humaines, de plus en plus
vastes, mais sans que les structures sociales, de plus en
plus vastes elles aussi, qui s'établissaient, soient profondément transformées dans les principes de leur établissement. Si dans l'autre monde qui lui était jusqu'ici
inaccessible et qui s'ouvre à lui, le monde de la vie, il fait
des progrès aussi étonnants que ceux qu'il fit dans le
monde de la matière, notre imagination même la plus
délirante est incapable de prévoir où cela peut le mener.
Il ne semble pas en tout cas très prophétique de penser
que ces labyrinthes socio-économiques dans la nuit
desquels il cherche, à travers les guerres et les révolutions, si désespérément sa voie, paraîtront sans doute
dans quelques années, à nos descendants, l'équivalent
en simplicité d'un jeu de l'oie. Le mécanisme de transmission des caractères héréditaires, énigme insoluble et
quasi miraculeuse pour nos parents, n'est-elle pas
aujourd'hui l'objet d'articles et de commentaires dans la
grande presse la moins spécialisée ?

* * *

A l'échelle historique de la biosphère, la vie possède
parmi ses caractéristiques fondamentales, l'évolution des
espèces. A l'échelle des espèces, il n'en est plus obligatoirement de même, et les espèces qui nous entourent
n'ont pas évolué depuis des milliers et souvent des
millions d'années. Grâce à son cerveau imaginant,
l'Homme a évolué sur le plan technique, son évolution
biologique étant fixée depuis longtemps. La seule voie
qui reste ouverte, semble-t-il, est aujourd'hui celle d'un
organisme planétaire : la société humaine. Pour que celle-
ci soit possible, il est nécessaire que les rapports interhumains entrent dans le domaine des connaissances
scientifiques, c'est-à-dire celui des lois, et sortent du
domaine du vœu pieux. La naissance de la biologie des
comportements fournit l'espoir d'y parvenir. Une fois
de plus, si ce processus est bien celui auquel nous sommes
promis, l'évolution n'aura pas été la conséquence de
la mutation aléatoire d'une structure interne, mais de
l'addition dans une complémentarité planétaire, des
structures sociales existantes concourant enfin non à la
survie d'un sous-ensemble social, mais de l'ensemble des
hommes, c'est-à-dire à la survie de cette espèce curieuse

perdue dans « le silence des espaces infinis ». Entre-
temps, par les mérites de la relativité, cet espace est
d'ailleurs devenu un espace fini, mais courbe.

* *
*

A la fin de cette approche, cybernétique-biologique de
l'évolution des sociétés humaines, il semble bien qu'une
notion fondamentale se fasse jour. Puisque nous avons
admis que la finalité d'un organisme vivant et, en conséquence, d'un groupe humain était le maintien de sa
structure, la biologie animale nous apprend que dans un
tel organisme la finalité d'un sous-ensemble passe par la
finalité de l'ensemble ; en d'autres termes, que la finalité
de survie d'un organe passe par l'intermédiaire de celle
de l'organisme entier. La mort de l'organisme entraîne
celle de l'organe, mais le plus souvent la mort de l'organe
entraîne celle de l'organisme.

Si l'analogie est valable, le problème des sociétés
humaines a toujours été et demeure celui de faire coïncider la finalité des groupes humains avec celle de l'espèce.
Un progrès certain a été réalisé au cours des siècles par
une simplification croissante de ce problème en fonction
de sa généralisation. Toute structure sociale ayant
répondu jusqu'ici à l'accroissement du pouvoir de sa
classe dominante, ces classes dominantes ont dû, au
cours de l'Histoire, faire disparaître progressivement les
antagonismes qui les opposaient entre elles, au stade du
comté, de la province, de la nation, des groupements
d'États. On est bien forcé de constater, même si beaucoup
en sont encore inconscients, que la population terrestre
est aujourd'hui divisée entre une classe dominante et
une classe dominée, les contradictions internes n'étant
pas plus criantes d'ailleurs dans l'une que dans l'autre.
Certes, la classe dominante n'utilise pas les mêmes
moyens pour assurer sa domination en pays capitaliste
et en pays dit socialiste, mais la distinction subsiste.
L'analogie biologique voudrait ainsi que dans chaque
organe existent des cellules nobles et des cellules prolé-
tariennes leur restant soumises, aliénées. Mais qui
soumet l'autre à sa domination, le neurone ou la névroglie,
la fibre myocardique ou le tissu spécifique du cœur ? Et
quand le biologiste parle de tissus ou d'organes « nobles »,
n'exprime-t-il pas l'éternel besoin des hommes d'établir
dans la nature une hiérarchie de valeurs que la nature

ignore, car elle ne connaît qu'une hiérarchie des organisations et des structures, au sein de laquelle toutes les
« valeurs » sont également indispensables.

Ainsi, au stade de *mondialisation* des structures sociales
auquel nous sommes en train de parvenir, il n'est plus
pensable que la division planétaire du monde en deux
classes soit conservée, ce qui voudrait dire que la finalité
de l'espèce pour assurer sa survie serait de maintenir
cette structure aliénante-aliénée, profitante-exploitée, en
unifiant au niveau de la planète toutes les finalités exploi-
tantes et toutes les finalités exploitées : n'est-ce pas
exprimer sous une forme nouvelle que la survie de
l'espèce serait liée à l'éternisation, au niveau du plus
grand ensemble, de la lutte de classe ? N'est-ce pas
exprimer l'idée que la lutte de classe, que nous avons vu
prendre naissance dans les sous-ensembles les plus
restreints, jusque dans les entreprises, dès lors qu'elle se
trouvera mondialisée réellement et non pas seulement
en théorie, et puisqu'elle est l'expression fonctionnelle
d'une structure sociale, structure vivante : « dominant-
dominé », cherchera à se maintenir ?

Il est bien vrai, en effet, que l'on assiste aujourd'hui
à une tendance, à une domination mondiale de la classe
dominante des deux ou trois grands sous-ensembles
socio-économiques planétaires. Il s'agit d'une généralisation d'une structure fondamentale, sans transformation
fondamentale de la structure.

Nous arrivons là à une limite, et dans ce problème
topologique nous sommes tentés d'admettre que la
survie de l'espèce ne sera sans doute pas liée au maintien
de sa structure sociologique à l'échelon planétaire.
C'est là qu'intervient la mutation nécessaire à la survie,
non de l'espèce mais de quelque chose d'autre puisque,
ce que sera cet ensemble humain dont la structure
sociologique ne sera plus la même, qui ne sera plus
motivée par la domination paléocéphalique, nous ne
pouvons en effet que difficilement l'imaginer au stade
de conscience où nous vivons encore aujourd'hui.

Et cette mutation de l'ensemble devra nécessairement
passer par celle de chaque niveau d'organisation des
sociétés humaines d'aujourd'hui, et pour cela passer
par la mutation de chaque individu qui les constitue.
Puisque cette mutation a fort peu de chances d'apparaître
dans l'organisation anatomique, c'est à la source informationnelle que nous sommes conduits à la rechercher. Ce

qui nous ramène évidemment à la biologie des comportements et à la généralisation des informations la concernant.

   L'espèce humaine aura ainsi enrichi sa connaissance
de la thermodynamique, celle des rapports de production,
celle des relations énergétiques entre les individus et les
groupes sociaux, par la connaissance et l'application
structurale à elle-même de la théorie de l'information,
c'est-à-dire que l'organisation des rapports interhumains
cessera d'être basée sur la force économique ou militaire,
pour s'appuyer sur ce qui n'est ni force, ni matière, ni
énergie : l'information.

   En résumé, la révolution concernant les structures
énergétiques qui gouvernent en partie les sociétés
humaines nous paraît insuffisante à autoriser l'évolution.
Celle-ci exige en outre un apport supplémentaire d'informations concernant les structures fonctionnelles de nos
systèmes nerveux qui gouvernent à travers les âges les
rapports interhumains, de façon à ce que nous puissions
un jour les dominer, et que se réalise à l'échelle du monde
la mutation indispensable des structures sociales.

VI

LE SERVO-MÉCANISME

Nous avons raisonné jusqu'ici comme si le groupe social, effecteur de la ville, se trouvait seul au monde. Mais il ne représente, bien évidemment, qu'un niveau d'organisation d'un organisme plus complexe, lui-même régulé, et contribuant à la structure d'un plus grand ensemble. Il participe à une succession de servo-mécanismes hiérarchisés.

Sur le plan écologique, la ville et le groupe social qui en est tributaire font partie d'une région, elle-même inscrite dans une nation, aux caractéristiques géoclimatiques particulières. Cette nation est elle-même dans un environnement plus vaste qui la situe dans une zone spécifique du globe.

Sur le plan sociologique, la ville est sécrétée pareillement par un groupe social qui ne peut vivre isolé, et dont la structure socio-économique est dépendante de structures plus vastes. On a tendance depuis quelques années à décrire deux grands blocs socio-économiques différents, compétitifs et même longtemps antagonistes. Un troisième bloc asiatique prend naissance, dont le rôle à venir ne peut être ignoré en invoquant seulement qu'il ne correspond pas aux schémas existants.

Sur le plan écologique, la structure urbaine se pliera aux impératifs géo-climatiques du lieu de sa naissance. Elle se pliera aussi sans doute à l'Histoire des hommes qui l'ont fait naître à une époque parfois lointaine où la finalité de la production n'était sans doute pas la même. Les transformations dont la ville est l'objet ne peuvent ignorer complètement le passé. Elles s'établissent sur un tissu urbain primitif qui influence forcément l'évolution historique. La productivité du groupe humain qui l'habite tisse à travers la région, la nation, et maintenant la planète entière, un système de relations complexes, de complémentarités qui font dépendre sa survie de sources énergétiques et informationnelles, de mécanismes d'échanges extrêmement nombreux, parfois proches, parfois lointains. La même interdépendance qui s'est établie au néolithique entre les hommes du monde connu, du fait de l'urbanisation et de la spécialisation progressives des activités humaines, se retrouve aujourd'hui au niveau d'organisation des cités dans les États et les grands groupements socio-économiques. La planétisation de certains groupes sociaux ne permet plus de limiter ceux-ci aujourd'hui à un État ou un groupe d'États. De même que l'aristocratie n'avait pas aux siècles passés de limite nationale, que ses alliances génétiques ont établi en son sein un système complexe de relations à travers l'Europe sans en faire disparaître les antagonismes, les classes sociales ont maintenant étendu un système analogue à travers le monde. Le capitalisme n'est plus national mais multinational, et les capitaux ne connaissent pas les frontières. Il n'en subsiste pas moins une concurrence entre les bourgeoisies internationales, la bourgeoisie américaine et ses capitaux tendant à asservir les bourgeoisies et les capitaux des autres nations capitalistes à son profit. D'où la tendance, depuis que l'industrie européenne a restauré une activité et une efficacité internationales, de secouer le joug du capitalisme américain à l'intérieur même du système capitaliste. Le capitalisme européen est le principal moteur de la tendance de l'Europe à s'unifier. C'est probablement une étape indispensable à l'unification du capitalisme à travers le monde, et il n'est pas certain que les contradictions internes qu'on lui décrit ne soient pas capables un jour de disparaître. Le capitalisme national des différentes nations européennes est bien en train de s'unifier, et cette unification peut être considérée comme une étape sur la voie de l'unification planétaire du système capitaliste.

Mais à l'est, n'avons-nous pas assisté depuis la Révolution à l'aliénation des bureaucraties nationales à la bureaucratie russe ? Si le prolétariat est international, les bureaucraties qui le gouvernent sont bien inféodées à la bureaucratie dominante qui ne recule pas, comme en

Hongrie ou en Tchécoslovaquie plus récemment, devant
l'intervention militaire quand un mouvement centrifuge
national s'amorce. Il est probable qu'à l'est aussi un
processus unifiant tendra à confondre les bureaucraties
nationales dans une bureaucratie multinationale.
L'exemple de Cuba, qui avait cherché une voie originale
et qui, progressivement, retrouve la voie commune du
socialisme bureaucratique, porte à penser qu'on ne peut
ignorer impunément l'existence du cerveau reptilien.
La domination, qui représente l'expression sociologique
de son fonctionnement, peut s'exercer par l'intermédiaire
du profit comme en pays capitaliste, par la police comme
en pays bureaucratique, sa généralisation à l'ensemble
d'une classe internationale dominante paraît aussi
inéluctable que si elle était gouvernée par les lois de la
gravitation. D'un côté, le prolétariat, souvent inconscient
des aliénations dont il est l'objet, du fait des automatismes que crée dans sa pensée la classe dominante,
profite de l'expansion sans en voir la finalité. Ses luttes
s'établissent sur le plan des avantages matériels, indispensables sans doute, mais qui ne favoriseront pas pour
autant l'utilisation de son cerveau imaginant. De l'autre
côté, le prolétariat bénéficie d'une égalité, dans la médio-
crité matérielle, avec les classes moyennes, le nombre
des favorisés du régime étant suffisamment faible pour ne
pas attirer l'attention de façon trop criante. La satisfaction de ceux-ci paraît d'ailleurs se contenter avant tout
de la puissance et de la décision qui résultent de l'appropriation des informations. La classe particulièrement
opprimée paraît bien être celle des intellectuels imaginatifs qui souffrent moins de l'emprisonnement physique
dont ils sont souvent l'objet, que de l'emprisonnement
de leur pensée dans le carcan rigide d'une idéologie qui
nie souvent la plus simple objectivité.

De toute façon, quel que soit le régime socio-économique, il est certain que la ville et l'urbanisme ne sont
que l'expression spatiale de la lutte plus ou moins apparente qui s'établit entre la classe dominante et la classe
dominée. En ce sens, l'urbanisme local peut bien trouver
des solutions locales aux problèmes locaux qui lui sont
posés. La classe dominante fait, on le comprend, tous ses
efforts pour faire croire à la classe dominée que ces
problèmes locaux constituent le seul aspect du problème.
Cette attitude lui évite de remettre en cause l'ensemble
du système socio-économique, en d'autres termes, lui

évite de mettre à la lumière la commande extérieure au système régulé restreint, que constitue la cité et son groupe humain. Le voudrait-elle d'ailleurs à l'échelon national, qu'elle ne pourrait se dégager des commandes extérieures au système national et qui lient, de façon coercitive, les intérêts de la classe dominante nationale à ceux des classes dominantes dans les autres pays ayant adopté le même système socio-économique.

L'urbanisme en cela représente la même caractéristique que les autres activités humaines : celle d'être encore soumis au principe de domination.

*
* *

Que cette unification planétaire de la classe dominante et de la classe dominée soit encore loin d'être réalisée est un fait évident.

Le retard est surtout la conséquence, semble-t-il, des niveaux différents d'évolution auxquels sont parvenues les différentes nations ou groupes de nations à la surface du globe. On peut dire, par exemple, qu'en pays industrialisé, les revendications de la classe ouvrière concernant des avantages matériels quand elles sont victorieuses, ne peuvent aller qu'à l'encontre de l'élévation du niveau de vie des pays sous-développés, qui échangent avec les précédents une matière première ou des produits agricoles contre des produits industriels. Ceux-ci leur seront vendus à un prix plus élevé du fait que pour conserver leur marge bénéficiaire, les industries ayant dû accorder une augmentation de salaires augmenteront leurs prix de vente. Par contre, la main-d'œuvre en pays sous-développé est très bon marché, et l'augmentation des salaires n'a pas de raison de survenir car le pouvoir d'achat de ces masses humaines misérables ne constitue pas à vrai dire un facteur fondamental de l'expansion des industries des pays industrialisés. C'est sans doute une des raisons de l'écart qui ne cesse de s'accroître entre le prolétariat des pays industrialisés et celui des pays sous-développés.

Ainsi, les caractéristiques de la mégalopole seront apparentes partout où l'industrie moderne assurera son implantation, mais la ségrégation des couches sociales sera d'autant plus accusée que les différences économiques entre ces couches sociales seront plus grandes. On le voit bien dans les pays industrialisés eux-mêmes, où ce sont toujours les travailleurs immigrés qui, par rapport aux travailleurs autochtones, possèdent le statut économique le plus lamentable et l'espace bâti (quand il l'est) le plus repoussant. Que toute revendication « quantitative », toute amélioration du mode de vie du prolétariat en pays industrialisé puisse contribuer à l'aggravation de l'impérialisme et à l'appauvrissement du prolétariat des pays sous-développés, montre que la planétisation de la lutte de classe n'est pas encore un système organisé.

Mais à supposer même qu'il puisse le devenir, le problème de la volonté de puissance n'en sera pas pour autant résolu. La lutte de classe risque, comme dans le bipartisme anglais, de s'éterniser, le pouvoir passant périodiquement aux « conservateurs » ou aux « travaillistes », à moins que ne s'établisse la suprématie mondiale et autoritaire d'une bureaucratie éradicatrice de toute pensée non conforme à la sienne.

L'unité de l'espèce humaine ne peut se faire vraisemblablement que contre quelque chose d'autre, quelque chose d'extérieur à elle. Nous verrons que l'on peut imaginer que ce soit contre les conséquences cosmiques de la civilisation industrielle. Comme celle-ci découle directement du besoin de domination de classe, le profit étant le moyen fondamental d'une classe sociale pour dominer l'autre, cette unité de l'espèce humaine se réalisera sous la pression de la nécessité, nécessité de survie immédiate, et entraînera obligatoirement la disparition de la structure socio-économique que nous connaissons. Il faut souhaiter que cette révolution biologique ne tarde pas trop à se réaliser, en d'autres termes, que le système régulant en tendance que constitue notre société moderne, ne tarde pas à se soumettre à la commande extérieure au système, et à se transformer en servo-mécanisme. C'est peut-être la seule chance qui reste à l'Homme de ne pas assister à la disparition de son espèce.

VII

ALORS QUOI?

> « Une humanité saccagée par ses physiciens n'en sera-t-elle pas réduite, un jour, à demander à ses biologistes qu'ils lui restituent en qualité ce qu'elle aurait perdu en quantité? »
>
> Jean ROSTAND,
> *Nouvelles pensées d'un biologiste*,
> Stock, 1947.

La route que nous avons suivie nous fait aboutir à la notion que tous les problèmes angoissants qui se posent à l'Homme moderne ne peuvent trouver de solution que dans une transformation de son propre comportement. C'est avant tout la pulsion fort primitive qui le pousse à dominer ses semblables qui est à l'origine de la formation des classes sociales et de la recherche du profit. Celle-ci est elle-même à l'origine de la société industrielle, des problèmes modernes de la pollution de l'environnement, de la confiscation des moyens de diffusion de l'information au bénéfice de la structure de classe, de la création des besoins en marchandises. En ce qui concerne l'objet de cette étude, c'est encore la recherche constante du profit qui aboutit à l'absurdité des cités modernes. Il est probable même, que si la connaissance devient le moyen essentiel de domination, une classe se l'appropriera aux dépens de l'autre. L'Homme s'est soumis aveuglément jusqu'ici à la pression de sélection, qui veut que le plus agressif gagne dans la course de l'évolution. La propriété, la recherche du profit n'ont été que des moyens efficaces de domination. Lorsque l'on a tenté de les supprimer, la motivation instinctive s'est exprimée autrement : la bureaucratie est née. Mais l'attrait du profit a toujours rendu les hommes plus inventifs et plus entreprenants. La domination, sans autre profit que celui de croire que l'on dirige le processus de décision, est moins efficace comme moyen de stimulation même si certains honneurs lui sont combinés et certains avantages matériels aussi.

La stimulation par l'objectif du bien collectif peut, en période révolutionnaire et immédiatement après, constituer une motivation suffisante, encore que l'anonymat doive en être proscrit et que les honneurs et la renommée doivent récompenser le mérite. Mais elle n'a qu'un temps. D'ailleurs, une révolution est toujours dominée par quelques hommes, peu nombreux.

La réussite technique du capitalisme procède de la domination liée au profit, et celui-ci de l'appropriation de la production et de la vente des marchandises. D'où une débauche d'imagination dont ont bénéficié parallèlement la technique et le profit.

Les idéologies les plus altruistes prétendent « libérer l'Homme de ses aliénations » alors que toutes ces aliénations ne sont que la conséquence de son aliénation première à la structure et au fonctionnement de son système nerveux dont personne ne parle jamais. Elles parlent encore d'égalité et de fraternité alors que ces deux mots, comme l'Histoire l'a constamment montré, n'ont aucune base scientifique au niveau du discours qui les exprime. Elles parlent d'épanouissement des facultés naturelles, mais quoi de plus naturel que les pulsions instinctives du cerveau reptilien, l'expérience automatisée du système limbique, principaux obstacles mais aussi facteurs indispensables au fonctionnement du cortex orbito-frontal ? Elles opposent avec raison le bien commun au profit et à la propriété privée. Mais de quelle propriété parle-t-on ? Celles des informations, du pouvoir de décision et de la connaissance sont-elles comprises dans le lot ? Comment empêcher technocrates et bureaucrates d'accaparer le pouvoir apparent de décision, et comment décider sans connaître ? Elles parlent de droits et de libertés, de démocratie. Malgré les ambiguïtés, les phantasmes et les désirs informulés que cachent ces malheureux mots, s'ils recouvrent quelque chose sous leur manteau déchiré, est-ce que cela peut être autre chose que la connaissance ? Mais alors, celui qui désire réellement, profondément la généralisation du pouvoir et non sa confiscation au profit de quelques-uns, n'est-ce pas d'abord la généralisation de la connaissance qu'il doit souhaiter et tenter de promouvoir ?

Remarquez qu'il y a belle lurette qu'on nous a conviés aussi à aimer le prochain comme nous-mêmes (ne sommes-nous pas les autres ?) et qu'on nous a prévenus qu'un chameau passerait plus facilement par le trou d'une aiguille qu'un riche n'entrerait aux cieux. Heureux les pauvres ! Les dominateurs ont toujours cru que ces paroles avaient été inventées pour consoler les pauvres, mais pas pour eux. La civilisation chrétienne, tant vantée par nos humanistes contemporains, a permis à la bourgeoisie de tous les temps de calmer le peuple ici-bas en lui promettant des compensations dans un autre monde, et en s'octroyant sans vergogne les biens de la terre. Cette civilisation marchande a même introduit le marchandage dans les paroles du Christ : on marchande son bonheur de consommation terrestre, contre une béatitude, sans marchandises, mais éternelle. L'Homme est-il capable d'un acte gratuit ? Véritablement gratuit, car il est facile de décider de la gratuité d'un acte, quand on est inconscient de ses motivations instinctuelles et de ses automatismes sociaux. Si ceux-ci étaient pris en charge, aucun acte gratuit ne serait plus trouvé, mais du moins une certaine lucidité serait-elle acquise, et une phraséologie trompeuse pourrait-elle être abandonnée. Le cynisme serait encore préférable à la vente hypocrite de la prière, des cierges et des indulgences, à celle de l'autorisation d'uriner dans un édicule public ou de s'asseoir sur un banc dans les espaces verts de nos cités modernes.

Puisque l'Homme n'est pas capable d'un acte gratuit, même pas le suicidaire, puisque, être vivant, il doit s'habituer à vivre dans son égoïsme biologique, souhaitons qu'il ose au moins regarder en face la motivation sordide de ses actes. Lui serait-il possible encore de retourner au stade d'évolution des bêtes, sans animosité et sans haine, sans excuses et sans explications logiques de ses meurtres, et comme elles, lui est-il encore possible de ne pas assassiner la bête de la même espèce, son contemporain ? Seul dans la nature à tuer les autres êtres vivants sans y être poussé par la faim, ne pourrait-il s'arrêter dans sa criminalité (et tant pis momentanément pour l'écologie) au seuil de sa propre espèce ?

L'expérience montre que les mots n'ont jamais suffi à l'en empêcher. Les morales sont en général des modes d'utilisation de la vie pour petits boutiquiers, des règlements que l'individu tourne toujours à son avantage aussi longtemps que le gendarme n'assure pas le respect non d'une morale, mais de sa sécrétion, la loi, qui est toujours la loi du plus fort et du plus agressif. La loi tourne en effet tout entière autour de la défense de la propriété privée

— preuve que rien d'autre, jamais, n'a pu amener l'Homme à mieux contrôler ses comportements. Il n'a su institutionnaliser et réglementer que la façon de protéger ses appropriations successives d'un monde qui, en principe, devrait appartenir à tous.

Du fait qu'il vit, du fait qu'il parle pour excuser ses pulsions inconscientes, et qu'il ne peut revenir aux temps où il n'avait pas le loisir d'occire ses contemporains ou de les exploiter, ayant déjà fort à faire pour assurer sa nourriture quotidienne, il ne lui reste plus qu'à trouver un autre but à ses pulsions. Pour cela, il est d'abord nécessaire que des disparités matérielles évidentes disparaissent. On parle souvent de la société d'abondance, mais elle n'est telle que pour quelques-uns. Beaucoup, même en pays industrialisé, ne connaissent de l'abondance que celle dans laquelle ils observent que d'autres qu'eux se complaisent. On peut imaginer une abondance telle qu'également répartie, elle suffise au plus grand nombre. Mais dans ce cas, la répartition harmonieuse exige la disparition des hiérarchies de toutes sortes. Sans quoi, il existera toujours des moins favorisés désirant posséder ce que les plus favorisés possèdent. Aussi longtemps que l'Homme ne sera motivé que par la propriété des biens matériels, il semble difficile de déboucher sur une société sans classe. Ce n'est jusqu'ici que dans la misère ou dans la crainte généralisée, que l'unité se réalise momentanément.

Il ne peut donc chercher cette motivation nouvelle en dehors de lui. Il doit la trouver en lui. A moins qu'une grande crainte ne constitue une pression de nécessité suffisante pour étouffer ses pulsions instinctives. Il n'est pas sûr, par exemple, que la bombe atomique ait œuvré contre la paix. L'arme la plus effroyable que l'Homme ait jamais inventée est peut-être une raison d'espérer que, pour éviter sa disparition en tant qu'espèce, la dernière guerre mondiale de son histoire aura été celle de 1939-1945. Il en est de même de la pollution et de la protection de l'environnement dont les classes possédantes tentent de faire un problème général, pour faire supporter à tous le prix des solutions, dès maintenant fréquemment réalisables, mais qui risqueraient de diminuer leurs marges bénéficiaires si elles seules, qui en sont responsables, en assumaient les frais. Si le plus grand nombre comprend que ce problème ne peut être résolu dans une économie de marché, car sa solution dans ce cadre autorisera une nouvelle poussée expansionniste, et favorisera des pollutions nouvelles, d'un type sans doute encore inconnu, il refusera de se laisser culpabiliser pour une faute dont il n'est pas responsable.

Si le fait réel de la pollution, de la dégradation de la biosphère est compris comme la conséquence globale, après de multiples interactions à des niveaux d'organisation différents, de sa pulsion dominatrice fondamentale, l'Homme risque d'être mis en face de sa disparition en tant qu'espèce, ou de la transformation des structures socio-économiques contemporaines. Une fois de plus, il n'aura pas le choix, car sa finalité étant de survivre, il devra obligatoirement se soumettre, c'est-à-dire abandonner la structure de classe de ses sociétés. L'optimisme, « l'espoir dans un avenir meilleur », c'est ainsi dans le déterminisme implacable de l'évolution de la vie au sein de la biosphère que nous pouvons les trouver, et non dans le prétendu choix des sociétés humaines qui, au stade d'évolution encore imparfait auquel elles sont parvenues, sont motivées d'abord par leur bien-être et leurs pulsions dominatrices par rapport aux autres, plutôt que par la survie de l'espèce.

Nous touchons là, une fois de plus, au problème du jugement de valeur, que nous avons bien souvent abordé dans d'autres livres, et à la connaissance. Nous avons défini le jugement de valeur [1] comme un défaut de généralisation, une insuffisance dans la création de nouvelles structures, l'emprisonnement dans un système, « la focalisation de l'affectivité sur une structure trop étroite, trop close » sur un sous-ensemble ignorant l'ensemble plus grand qui l'englobe. Une information nouvelle n'est pas perçue, elle ne joue donc pas son rôle d'information, parce qu'elle est étrangère aux structures mentales (entendez par là aux automatismes acquis d'ordre sociologique) existantes. C'est le cas du discours en chinois pour qui ignore cette langue. Le jugement exclura cette information comme non signifiante, « sans valeur ». Il n'accordera de « valeur » qu'au jugement qui l'exclut. Ou bien encore, toute information nouvelle perçue sera intégrée dans une structure préexistante, et perdra immédiatement ses qualités évolutives, puisque l'évolution résulte de l'apparition de

1. H. LABORIT (1968), *Biologie et structure*, collection « Idées », Gallimard.

structures nouvelles. L'automatisme culturel permet ainsi « d'exclure » par un jugement de valeur toute information non conforme au canevas préexistant, et de lessiver l'angoisse qui naît toujours de l'inconnu à partir du moment où il est accepté objectivement. Il permet aussi l'action immédiate qui réclame des schémas simplistes et ne peut se contenter d'une attente, parfois longue, résultant de la création d'une structure nouvelle plus complexe à partir de l'addition complémentaire de l'information neuve à la structure ancienne. Ces comportements sont les plus répandus dans la vie sociale de l'Homme contemporain, qui au lieu de rechercher toujours les ensembles d'un degré de complexité supérieure à partir des sous-ensembles qui lui sont proposés, préfère diviser, analyser, chapitrer pour calmer son angoisse. C'est ainsi que la plupart des problèmes contemporains débouchant sur un ensemble socio-économique, donc politique et planétaire, la majorité de nos contemporains préfèrent les aborder en pièces détachées, effrayés qu'ils sont des possibilités créatrices des nouveaux ensembles qui risquent de surgir d'une approche généralisante. Un exemple parmi bien d'autres en est la crise d'affectivité agressif qui survient chez beaucoup lorsqu'on envisage la possibilité de traiter de politique à l'école. La politique est une chose à part qui regarde les adultes, qui en traitent sans en avoir rien appris, plus tard, suivant leurs pulsions instinctives et les automatismes acquis à partir de leur milieu social. Je viens d'entendre à la T.V. le président d'une puissante organisation de parents d'élèves, en pleine inconscience de son inconscient, développer ce thème. En cela, la biologie contemporaine, celle du système nerveux surtout, peut apporter certains remèdes si ses connaissances sont diffusées. La conscience de la relativité des engrammations sociales des comportements devrait, en principe, résulter de cette diffusion. Au lieu de ne voir dans l'autre que ce qui le différencie (ce qui, en conséquence, est forcément nié parce qu'appartenant à un autre ensemble qui, n'étant pas le nôtre, est rejeté), peut-être cette diffusion des connaissances biologiques favoriserait-elle l'appréhension de ce qui identifie, et permettrait-elle la combinaison du différent en vue d'une intégration dans une structure nouvelle. Au lieu de rester enfermé dans une structure idéologique, même promue par un génie cosmique mais d'une époque déjà révolue, et de n'accepter, de n'entendre (sous la pression de la nécessité de survie) que ce qui peut s'introduire dans la structure préexistante, et pas toujours sans distorsion, ne serait-il pas possible de procéder autrement ?

Conscients de la rigidité de nos automatismes culturels, et méfiants à leur égard, pouvons-nous continuer à considérer l'autre *a priori* comme l'étranger, l'autre et son aura conceptuelle comme le « mal », alors que nous et nos conformes représentons forcément le bien, pouvons-nous l'ignorer, le « tuer », l'exclure de notre monde conceptuel à nous ? Pourquoi choisir entre deux jugements, le sien et le nôtre qui, s'ils sont différents sur un même problème, sont forcément le résultat d'une approche insuffisamment généralisante et psychanalytiquement programmée ? Pourquoi ne pas rechercher toujours l'intersection, en d'autres termes, la création de nouveaux ensembles plus complexes, si ce n'est que tardivement, sous la pression de la nécessité ?

Bien sûr, émettre un jugement, c'est affirmer sa propre existence, le faire partager, c'est assurer sa domination. Je n'ai moi-même présentement pas d'autre motivation que celle de m'affirmer en tant qu'être unique et dissemblable. Mais la biologie des comportements ne nous apprend-elle pas que sur une matrice biologique comparable, ce sont les autres qui depuis notre naissance se sont inscrits en chacun de nous, et pourquoi dans ce cas n'admettre dans cette inscription que les informations cohérentes avec notre structure antérieure ? Un enrichissement constant, incomparable, ne résulterait-il pas de la conduite d'un raisonnement, quel qu'il soit, à l'absurde, de l'examen de sa cohérence avec le plus grand ensemble, l'ensemble humain ? Il est évidemment plus facile de tuer « l'autre » en faisant disparaître ainsi la cause fondamentale de l'angoisse, avec le plaisir que la libération de la conduite agressive peut en éprouver. Mais il existe un plaisir également à déboucher sur une structure conceptuelle neuve, résultant de la complémentarité de deux opinions ou même de leur antagonisme irréductible qui force à les abandonner l'une et l'autre pour en accepter une troisième.

Je disais plus haut qu'avec le problème du jugement de valeur, nous abordions aussi celui de la connaissance. Le jugement de valeur, on le conçoit en effet, est obligatoirement lié à l'ignorance de la valeur d'un autre ensemble, et cette ignorance résulte de l'ignorance de la structure de cet autre ensemble. Et c'est en cela que je suis profondément persuadé que ce jugement de valeur a eu jusqu'ici pour base fondamentale l'ignorance des bases physio-biologiques sur lesquelles il repose. L'ignorance du déterminisme qui gouverne nos processus nerveux, appelés psychiques, pour les distinguer du monde de la matière et les faire pénétrer dans le monde du divin, de l'aléatoire, de l'indéterminé, du mythique, de l' « essence », a conduit au défaut de généralisation fondamental, à la scission de la morale et de la physique.

Je suis persuadé que la confusion, l'incohérence apparente du monde contemporain ont trouvé leur source dans l'ignorance de la biologie de nos comportements. La physique et ses conséquences techniques ont pu ainsi se développer dans le cadre rigide et objectif des lois de la matière, alors que la biologie est restée stagnante dans un chaos subjectif et moralisateur autorisant tous les jugements de valeur, tous les *a priori*, tous les meurtres collectifs et toutes les exploitations de l'Homme par l'Homme.

**

Nous n'avons vécu jusqu'ici que dans des systèmes explicatifs, logiques, de faits qui nous dépassent parce qu'ils appartiennent au monde vivant et non à celui de la matière inanimée. Et sans doute ai-je, au cours de cet ouvrage, construit un système de plus. Heureusement pour l'Homme, le système utilisé par la vie ne se soucie pas de la logique humaine. L'évolution des espèces s'est faite en l'absence de l'Homme vers une complexité croissante et, depuis son apparition tardive, elle s'est poursuivie sans qu'il l'influence consciemment. Elle s'est poursuivie en pleine inconscience de celui qui en était depuis un million d'années la dernière étape. Il fallut attendre Darwin pour que l'Homme commence à deviner l'existence de la prodigieuse histoire dont il était jusque-là l'acteur et le spectateur inconscient. Depuis Darwin, l'évolution ne s'est pas interrompue sous le prétexte que l'Homme en avait pris conscience. La révolution néolithique s'est accomplie sans qu'il en réalise l'importance fondamentale et qu'il en analyse les conséquences. Sa prétention à chaque époque a été de croire non pas que le monde était changé par son influence,

ce qui est vrai, mais qu'il pouvait en diriger l'évolution.
Depuis dix mille ans, chaque révolution a cru qu'elle
avait transformé le cours de l'Histoire. Le recul montre
que les plus grands conquérants, les plus grands réformateurs ont eu moins d'importance évolutive que le
premier homme qui enfouit une graine dans la terre
pour en provoquer volontairement la germination.
C'est cet homme qui fut l'initiateur des sociétés
modernes. Le reste, depuis, ne fut que détails techniques.
La machine à vapeur et la révolution industrielle, des
sous-produits de cet acte lointain et capital.

Or, malgré l'orgueil qu'il éprouve de sa réussite
technique extraordinaire, l'Homme est toujours entre
les mains de l'évolution, et l'étape que nous allons
franchir ne sera pas sans doute une fois de plus le résultat
d'une révolution volontariste, mais celui de l'implacable
nécessité : ou il disparaîtra, ayant saccagé la biosphère
qui lui est nécessaire encore pour survivre, ayant épuisé
ses principales ressources énergétiques, ou il devra
subir un changement radical de sa mentalité. Les cris
d'alarme poussés par les écologistes ne doivent pas
être interprétés comme un conseil de revenir en arrière,
mais bien de choisir une autre route pour aller plus
loin. Mais ce plus loin, ce nouvel horizon vers lequel
il sera obligé de se diriger s'il ne veut pas mourir en
tant qu'espèce, devra l'obliger aussi à changer fondamentalement son comportement. Cette civilisation
industrielle dont on ne peut voir aujourd'hui l'aboutissement par une expansion galopante, que dans une
catastrophe finale, cette civilisation industrielle qui
résulte de l'instinct de domination, généreusement
réparti dans toutes les sociétés humaines, ce danger
non pour un groupe social, non pour un clan, une nation,
une classe sociale, mais pour l'Humanité entière est
celui qui va probablement obliger les hommes à s'unir,
à se concerter. Ce que, ni les guerres, ni les révolutions,
ni les génocides n'ont réussi jusqu'à maintenant de
façon planétaire, mais toujours localement et temporairement, ce danger universel risque de le réaliser :
l'unification de l'espèce humaine, la société sans classe.
Nous avons tenté d'analyser les mécanismes qui poussent
les hommes à se dominer les uns les autres en utilisant
l'appropriation des biens matériels et de la connaissance.
Cette motivation qui ne peut avoir de limites dans
l'exploitation échevelée du monde matériel ne peut

qu'aboutir à une catastrophe qui ne fera pas de distinction entre capitalistes, bureaucrates, technocrates de tous poils et prolétaires. Et c'est encore sous la pression de la nécessité que l'Homme devra s'incliner. *Il devra, pour la première fois depuis son apparition dans la biosphère, penser à l'Humanité s'il veut aussi penser à lui.* L'unité d'un organisme se réalise toujours par rapport à l'environnement.

Si cette vue prospective se réalise, les actions « généreuses » des révolutionnaires, dont l'avantage principal est de faire coïncider leurs pulsions instinctives, leurs désirs et leurs phantasmes, avec le bonheur (?) du plus grand nombre, paraîtront sans doute désuètes dans l'espoir qu'ils nourrissent d'une application de leur système logique à la vie. Elles n'auront pas été inutiles, car elles auront contribué à la prise de conscience par les masses de problèmes secondaires sur le plan de l'évolution, mais capitaux pour l'individu en situation dans le temps, plongé dans une époque. Les plus révolutionnaires d'entre eux apparaîtront plus tard, je pense, comme de modestes réformateurs. *La grande révolution aura été commandée, organisée et réalisée à leur insu, par la vie.*

J'ai hésité à écrire ces lignes car elles peuvent soulever d'innombrables critiques. Celle de n'être que l'expression de mes pulsions personnelles, de mes automatismes sociologiques et même scientifiques, pour tout dire, de mes automatismes bourgeois. Cette critique a peu d'importance, et je l'accepte volontiers car elle n'implique que moi. Par contre, une critique plus douloureuse et plus juste, du moins en apparence, consiste à dire qu'une telle attitude favorise l'immobilisme des masses, la domination des pouvoirs, de tous les pouvoirs, qu'elle constitue un carcan idéologique, une camisole à l'action révolutionnaire. On est autorisé à émettre une hypothèse, que si cette hypothèse conduit à la « praxis », et non pas à l'attente soumise d'un monde meilleur. Je suis très sensible à cette critique, et ma réponse ne convaincra que ceux qui ont déjà été convaincus par mon « système ». Ils sont sans doute peu nombreux, mais je n'ai pas la prétention de croire à l'importance sociologique de mes écrits, d'une part; et, d'autre part, je suis bien certain que personne ne peut être influencé actuellement par la notion du déterminisme des comportements. Quelqu'un le serait-il qu'il n'en continuerait pas moins à exprimer dans ses actions, comme je le fais moi-même, le fonctionnement de ses vieux cerveaux inconscients. J'ai quelque expérience maintenant de l'effet produit sur des groupes humains par la mise en doute de la liberté individuelle. Je n'ai pratiquement rencontré personne qui accepte d'abandonner cette notion, qui accepte même de la remettre en question.

Cependant, je répondrai à cette critique que la « praxis » ne se résume pas, pour moi, en actions de commandos, en défilés protestataires, en analyses jamais finies de concepts existants et à leur diffusion aux masses suivant des interprétations variées qui toutes se considèrent comme seules valables, comme seules vérités. Elle consiste aussi dans un immense travail d'information et de recherche dans des disciplines multiples qui n'existaient pas encore il y a trente ans, et qui ont pris naissance depuis. Ce travail ne s'inscrit pas obligatoirement dans un cadre dogmatique connu, et vouloir l'y faire pénétrer de force risque de le déformer par son passage à travers des goulots d'étranglement. A la différence des dogmes et des idéologies, le résultat de ce travail ne prétend pas à l'infaillibilité, et il est tout prêt à reconnaître cette infaillibilité aux dogmes et idéologies si celles-ci dépassent le stade de l'hypothèse de travail ancienne pour pénétrer dans le champ de l'expérimentation réussie. Il faut reconnaître que l'expérimentation attend encore aujourd'hui la réussite, ce qui ne nie nullement la valeur des expérimentations déjà faites comme source d'enseignement sur les erreurs à éviter. Le progrès est à ce prix. Mais comment éviter les erreurs en gardant les mêmes hypothèses de travail, en ne considérant l'échec que comme le résultat d'un défaut de manipulation, sans jamais remettre en question la validité de l'hypothèse de travail?

Le déterminisme historique n'est pas limité à une courte période de l'histoire de la vie, l'Histoire humaine. Le déterminisme historique s'applique à toute l'évolution. *Il nous met en présence d'une pression de sélection. Elle s'est déjà appliquée depuis des millénaires aux groupes humains, aux civilisations défuntes. Le fait nouveau aujourd'hui, c'est que la civilisation industrielle est planétaire; elle n'intéresse pas seulement un sous-ensemble de l'ensemble humain, et sa disparition risque d'entraîner celle de l'espèce alors que jusqu'ici l'espèce avait survécu à la mort des civilisations.* Le fait d'en avoir pris conscience

implique que l'Homme abandonne son instinct de
domination interspécifique, sa volonté de puissance,
pour survivre, ou qu'il s'y soumette malgré tout et
qu'il disparaisse.

**

Nous avons au début de cet ouvrage, et dans ceux
que nous avons précédemment écrits, insisté sur le
fait que les processus vivants se caractérisaient par leur
aspect multifactoriel et que le principe de causalité, telle
cause produisant tel effet, ne leur était pas applicable.
Les processus vivants ressortissent de la dynamique
des systèmes complexes, et ils n'ont que faire des
« analyses » logiques. En Égypte, pour ne prendre qu'un
exemple, la construction du barrage d'Assouan répondait
à une analyse socio-politique, espérant fournir une
source importante d'énergie et industrialiser ce pays
sous-développé. Or, il arrête les apports limoneux qui
se déversaient autrefois en aval et perturbe profondément
la fertilisation légendaire des terres arables qui a fait
la réputation de la vallée du Nil. L'eau salée remonte
le delta du fleuve dont on a réduit le débit et dénature
aussi les terres arables qui s'y trouvaient. On prévoit
également (mais il y aurait eu avantage à le prévoir
avant) que l'irrigation de nouvelles terres cultivées,
par les canaux d'irrigation, provoquera la prolifération
catastrophique de la bilharziose, maladie parasitaire qui
sévit à l'état endémique en Égypte. Ainsi, on n'aboutit
jamais en biologie, comme cela peut se voir en prose,
à un effet unique. En intervenant dans un système
complexe pour obtenir un effet désiré, on provoque
l'apparition de multiples effets non désirés. Les bonnes
intentions ne suffisent pas.
Les processus sociaux et la politique s'inscrivent au
sein des processus vivants, donc de processus complexes
que des analyses simples, utilisant le principe de causalité
de la physique du XIXe siècle, ne permettent pas de
traiter scientifiquement. Nous serons peut-être aidés
dans ce but un jour par des machines. Nous n'en sommes
point encore là. De toute façon, le rôle essentiel de
l'Homme de ce XXe siècle finissant est moins sans
doute de discourir ou même d'agir en utilisant des
programmes valables pour la science du XIXe siècle,
que de comprendre les mécanismes rigides qui président
à l'évolution des espèces, la sienne n'ayant d'autre

avantage sur ces pauvres grands sauriens du secondaire, si tôt disparus et dont l'existence ne nous est connue que par les ossements parvenus jusqu'à nous, que celui de posséder un cerveau capable d'imaginer des solutions neuves aux problèmes de survie qui lui sont posés. Mais il faut savoir que ces problèmes de survie ne sont point du domaine actuel de la « technique » qui peut résoudre les problèmes du monde de la matière, mais n'est point encore assez évoluée pour régenter le monde de la vie. En croyant pouvoir résoudre les problèmes que le capitalisme et le marxisme n'ont pas résolus, le technocratisme se range lui-même dans le domaine des idéologies, car la technique du contrôle des sociétés humaines réside avant tout dans celle du système nerveux humain. Jusqu'ici personne n'a envisagé le rôle de celui-ci, la connaissance de ses mécanismes de fonctionnement, la manière de s'en rendre scientifiquement maître, les conséquences d'une telle évolution « technique ». Personne, en dehors des orateurs et des écrivains. La technique a été jusqu'ici un des masques de l'exploitation de l'Homme par l'Homme. Elle justifie les hiérarchies en leur fournissant des critères, et contribue à perpétuer les distinctions sociales dominatrices. L'étude biologique des comportements laisse seule espérer la mise au jour de ces restes fossilisés dans la crypte des mérites et des libertés humaines, et leur transfert au musée des illusions perdues.

⁎⁎⁎

La ville est un outil efficace qui n'a jusqu'ici servi, à des groupes humains dominants, qu'à maintenir leur domination. La signification, l'utilisation, la structure même de la cité ne peuvent changer que si la structure socio-économique qui lui donne naissance change d'abord.

Sinon, les ajustements progressifs, les réformes édulcorantes failliront toujours à en transformer les caractéristiques contemporaines. Nous savons que les spécialistes de l'urbanisme, les architectes d'abord, ont à se mesurer avec des problèmes insolubles sur le plan que nous avons abordé dans cet ouvrage. Ils sont confrontés avec le problème de « loger les gens », de le faire au mieux des intérêts de ceux-ci. Ils savent aussi que ce faisant, ils vivent, c'est-à-dire qu'ils s'inscrivent

dans un certain type de société, marchande ou techno-
cratique, à laquelle ils servent souvent d'excuse ou de
paravent. Nous savons que beaucoup en sont conscients,
mais qu'ils sont bien forcés d'œuvrer dans le cadre qui
leur est imposé, sans pour autant le considérer comme
le plus souhaitable.

Ce n'était pas une raison suffisante pour nous empêcher
d'aborder ce plan général, tout en sachant qu'il ne suffit
pas de prendre conscience d'un mécanisme pour pouvoir sans
danger en assurer la transformation structurale
profonde. Du moins est-il nécessaire de connaître un
mécanisme si l'on veut en changer et le remplacer par
un autre. C'est sans doute la seule façon d'éviter de
reproduire les mêmes erreurs.

Quel que soit ce que l'avenir nous réserve, évolution
complexifiante ou révolution, il paraît probable que le
réformisme ne suffira pas pour fournir des solutions
vraiment neuves. D'autre part, on peut penser que le
phénomène essentiel n'est pas d'influencer l'évolution,
ce qui n'est le plus souvent qu'une croyance pieuse
issue de l'ignorance où nous sommes des déterminismes
cosmiques auxquels nous sommes soumis, mais d'avoir
suffisamment conscience de cette évolution, et de tâcher
d'en découvrir les mécanismes. C'est en effet le seul
espoir qui nous reste de nous rendre indépendants des
déterminismes du passé.

L'approche que nous avons faite de ceux-ci sera
considérée par beaucoup comme utopique, en ce qui
concerne les espoirs qui peuvent naître de leur analyse.
L'utopie est généralement l'ensemble nouveau non
compris encore dans les jugements de valeur du moment.
Nous ne pouvons que souhaiter que l'urbano-bio-logique
fasse un jour partie des jugements de valeur d'une
époque. Elle permettra à une autre utopie de voir le
jour. La véritable utopie ne serait-elle pas de croire
que l'Homme puisse un jour se passer d'utopie ?

TABLE DES MATIÈRES

ACHEVÉ D'IMPRIMER
SUR LES PRESSES DE L'IMPRIMERIE OBERTHUR A RENNES
Dépôt légal imprimeur n° 10911.
N° d'édition 9619. — 4ᵉ trimestre 1977. — Printed in France